科学家讲给大家的科学课

科学家讲给家长的科学课

朱才毅／主编　杨刚毅／副主编

邓利／著

SPM 南方出版传媒

全国优秀出版社
全国百佳图书出版单位 广东教育出版社

中国·广州

图书在版编目（CIP）数据

科学家讲给家长的科学课／邓利著. —广州：广东教育出版
社，2017.6
（科学家讲给大家的科学课／朱才毅主编，杨刚毅副主编）
ISBN 978-7-5548-1695-0

Ⅰ．①科…　Ⅱ．①邓…　Ⅲ．①科学知识—普及读物
Ⅳ．①Z228

中国版本图书馆CIP数据核字（2017）第080116号

责任编辑：周　莉　杨柳婷　朱珊珊
责任技编：佟长缨　刘莉敏
插　　图：陈烁辉
装帧设计：友间文化

科学家讲给家长的科学课
KEXUEJIA JIANGGEI JIAZHANG DE KEXUEKE

广东教育出版社出版发行
（广州市环市东路472号12–15楼）
邮政编码：510075
网址：http://www.gjs.cn
广东新华发行集团股份有限公司经销
深圳市建融包装有限公司印刷
（深圳市罗湖区梨园路607号2–4楼）
787毫米×1092毫米　16开本　13.25印张　265千字
2017年6月第1版　2017年6月第1次印刷
ISBN 978-7-5548-1695-0
定价：55.00元
质量监督电话：020-87613102　邮箱：gjs-quality@gdpg.com.cn
购书咨询电话：020-87615809

出版说明

　　"珠江科学大讲堂"是面向公众的大型系列科普讲座，由广州市科技创新委员会、广东科学中心、羊城晚报社三方联合主办。其主旨是普及科学知识、倡导科学方法、传播科学思想、弘扬科学精神，为公众打造一个了解科学的互动平台。2012年6月至今，讲堂已连续举办数十期，包括多位两院院士在内的专家、学者做客讲堂，对公众开展多个学科领域的专题科普讲座，为公众提供了解社会热点、科技时事和科技发展前沿的机会，获得了良好的社会效益。

　　为了总结"珠江科学大讲堂"的成果，加大科普传播力度，广州市科技创新委员会设立科普专项，支持编写出版了这套"科学家讲给大家的科学课"亲子科普图书，这套图书包括《科学家讲给家长的科学课》和《科学家讲给孩子的科学课》，基于12位著名科学家的演讲内容及其科研领域进行创作，用深入浅出的方式向家长与孩子展现不同学科的知识和动态。这套图书由广东科学中心组织编写。

　　《科学家讲给家长的科学课》读者定位为具有一定科学基础

或对科学有浓厚兴趣的成年人，侧重向读者传播推介"高、精、尖"科学知识，涵盖数字智能技术、节能环保、生物医疗、空间科技等多个领域，内容权威。

《科学家讲给孩子的科学课》读者定位为9～16岁喜爱科普读物、对科幻作品有兴趣、喜爱探索未来世界的少年儿童。用科学家与读者对话的形式，向少年儿童介绍智慧城市、环境保护、太空探索等前沿新兴科学知识。

由于编者的水平有限，书中的内容也许阐述得不够透彻明白，如有错误，请读者提出批评指正。

"科学家讲给大家的科学课"编委会

2017年6月6日

序

认识我们的无知

——写给孩子们的爸爸妈妈

人类永远是无知的。当地球上的人类开始相信科学技术是生产力的时候，就发现我们人类最大的问题是无法全知。我们必须学习过去的知识，同时了解新知识的发展，进而想象可能出现的未来。从这方面来说，任何一个单独的人类个体，都不可能做到无所不知。

时至今日，科学技术正以前所未有的惊人速度发展。科学的分类细致而繁多，很多科学领域发展出自己专门的词汇、逻辑体系和推理方式，很多科学语言、概念和符号的产生都是为了有利于科学家本身的思考。比如说生物医药、空间科学、计算机科学，普通人就更加不容易理解。因此，有一本能够让普通人看懂的科普读物就显得很有必要。

客观世界的无限性使得我们人类认识科技发展也将无限延伸，没有尽头。如何才能有效合理地开发利用每一个人的智慧？——打开眼界，开拓思维是关键所在。我们的孩子和我们自己一样，不可能在所有事物上都精通，可是，怎么才能发现孩子们在学科上的兴趣点，知道孩子们将来可能努力的方向呢？学习科普知识正是一个极好的方式。它是把晦涩难懂的理论简单化之

后，用充满创意和乐趣的方式传播给我们大家。

很多家长认为科普读物仅仅是学校教育的延伸，是青少年、儿童课余的消遣。事实上，科普最大需求者不是孩子，而是家长们。认识我们的无知，不断在科普阅读中获得一点新知，才能有效地养育我们的孩子，同时给他们打开一扇扇未知世界的窗户。

《科学家讲给家长的科学课》这本科普读物缘起于"珠江科学大讲堂"，这是由广州市科技创新委员会、广东科学中心、羊城晚报社三方联合主办的大型系列科学讲座。本书与《科学家讲给孩子的科学课》共同组成"科学家讲给大家的科学课"亲子套装书，给家长们看的这本，基本尊重科学家们的科学讲座内容，稍有增减和解释；给孩子们看的部分，尽量用让孩子们容易理解和喜欢接受的方式，把科学家所讲的理论呈现到他们面前。在孩子的书中，我们特别设计了一些趣味亲子小活动，希望家长能和自己的孩子们一起完成，和孩子一起成长——在活动的过程中学习，不仅仅是有关的知识，更重要的是学会探究。

希望有心的家长，可以从中发现孩子的特长和兴趣，进而在相应的方面给予支持和鼓励，引领孩子探索自己喜欢的事物。

中国工程院院士 周福霖

2017年6月20日

目 录

数字广州，智慧生活

邬贺铨

中国工程院院士。

我国光纤传送网与宽带信息网专家。长期从事光纤传输系统和宽带网研究开发及项目管理工作，2000年起负责下一代互联网（NGI）和3G及其演进技术（LTE）等研发项目的技术管理。

曾任电信科学技术研究院副院长兼总工程师、中国工程院副院长、工信部通信科技委主任、中国电子学会副理事长、中国通信学会副理事长、中国通信标准化协会理事长、国家"973计划"专家顾问组成员。目前兼任国家信息化专家咨询委员会副主任、中国互联网协会理事长、国家"新一代宽带无线移动通信网"科技重大专项技术总工程师、"中国下一代互联网示范工程"专家委员会主任、国家物联网专家组组长、IEEE（电器与电子工程师学会）高级会员。

智慧城市是城镇化进程的下一阶段，它必将是低碳城市、绿色城市、生态城市、幸福城市、宜居城市、学习城市、创新城市。

信息社会的基础

我们70多年前发明了电视机，60多年前发明了计算机，50多年前发明了互联网，30多年前发明了PC机，20多年前发明了WWW，10多年前发明了3G，这些都是近半个多世纪以来信息技术的发展。

我们从数字化、平板化电视时代飞速进入互联网时代。目前为止，没有什么东西的发展速度能够达到信息技术这么快。过去电视机是CRT电视，然后是平板、液晶、等离子电视，现在又有激光电视、三维电视，新出的变频平板电视等技术都是基于集成电路技术。

电视的发展使得我们的传输方式更多样。电视从模拟到数字，从无线到有线，从固定到移动，从电路到IP，从标清到高清，从2D到3D，从低端到云端，从功能电视到智能电视，发展迅速。很多年前看电视是要接天线的，现在可以在网络上看电视，也可以把在网络上下载的视频转到电视机上。

通信本身是以信号的幅度来反映的，在模拟信号传输过程中，幅度会衰减或受到干扰，信息就受损伤；数字通信是用二进制脉冲的组合来反映信息，在传输过程中，只要组合不变，哪怕幅度

3

矮一点，也不会影响信息的正确接收。

20世纪50年代到80年代，中国做了全世界最大容量的FDM（频分复用）载波通信系统；接着是TDM数字时分复用；现在是光纤系统上的波分复用WDM；第四代就用了多域复用；下一代传输系统将进入光联网。十年内传输容量将增长一千倍。

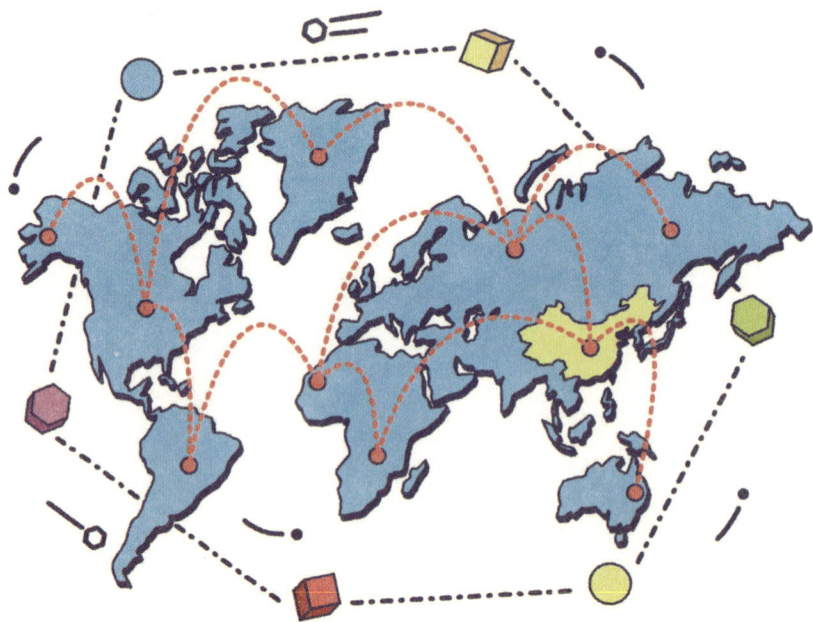

4

中国是全世界最大的光纤生产国。去年平均1根1公里长度的单模光纤卖几十元，简直比面条还便宜。在中国，光纤只需要设置到路边、到小区，因为一个路边小区的大楼就住了几千人。跟居民分散的欧美国家相比，中国的光纤到户的成本要低很多。局域网从10兆标准到100兆标准，用了15年时间才完成标准化，从100兆到

1G只用了4年，从1G到10G只用了3年。

接下来，我们来说说电路交换。数字通信是以时隙来划分信道的。在用户信息传输之前，利用信令在源端至最终目的地之间建立起独占的端对端连接。只要拨完电话号码以后，那边有回音了，就表示电路已经建立。这个时候无论你是否讲话，这条电路永远是给你用的。这样的方式质量很好，但效率太低。

另外一个方式是分组交换，它的实质就是将要传输的数据按一定长度分成很多组，为了准确地传送到对方，每个组都打上标识，许多不同的数据分组在物理线路上以动态共享和时分复用方式进行传输，为了能够充分利用资源，当数据分组传送到交换机时，会暂存在交换机的存储器中，然后根据当前线路的忙闲程度，交换机会动态分配合适的物理线路，继续数据分组的传输，直到传送到目的地。到达目的地之后的数据分组再重新组合起来，形成完整的数据。比如大家上网下载文件的时候，有时候文件没有全部下载完就不会显示，这种分组交换的方式效率最高。

DNS（数字域名服务器）为需要定位指定服务器的网络应用提供了一个名称到地址的目录服务。实际上人们上网要经过多次域名服务器的查询。全球共有13台DNS根服务器，其中10台设置在美国，另外各有一台设置于英国、瑞典和日本，这意味着中国的DNS顶级域名.cn的解析都要经过这些根服务器。

每个路由器都有存储转发的功能。比如现在有一个视频传过来，传到手机上没问题，再传到电视机上也没问题，可是再传一

5

个路径它就拥塞了，互联网采用的办法是丢包，丢了以后就需要重传。ICP（互联网信息内容提供商）把要传的信息分成很多分组（包），每个包都顺序编号，逐一往外传，到目的地以后要按包的顺序把它还原。所以，互联网的传输是把一个大文件拆成非常多个小文件，每个小文件编上序号，一个一个小文件传，传到终端再把它合成。

TCP的作用是什么呢？比如发送端发送编号第0、1、2、3个包都非常成功，接收端回发一个确认表示编号3的包已经收到，接着送端传第4个包，如果第4个包遇到拥塞了，互联网发现拥塞就丢包，但发端的不知道接收端没有收到，接着还发第5个和第6个包，然后发送端会接到第4个没收到的回发信息，发送端会认为4、5、6的包都没收到，结果他要重发一遍。所以，虽然互联网以丢包的方式来处理拥塞，但它是通过重发的方式来完成通信的。TCP就是保证重传。这就是为什么我们上网发现下载一个东西很慢的时候，退出来重新开始可能就比较快的原因。

互联网从20世纪70年代开始到现在，从最初的美国国防部的ARPARNET发展到公众互联网再到全球互联网，现在朝着下一代互联网发展。

互联网的主要技术从TCP/IP→Web→P2P/Web2.0→Cyber-physical System（信息物理系统）。互联网从一个收发邮件的联系平台到下载文件和看视频的浏览平台，再到微博和博客的交互平台，现在又到工作平台。

美国有一个游戏网站是可以自己设计游戏的，既然可以设计游戏，就可以设计汽车、房子、服装。后来专业公司发现网上设计的东西比专业公司设计得更好，因此专业公司到网上收购网民的设计。

Web1.0里面内容是网站专业人员编写并提供给大家上网去浏览的；出现Web2.0后就出现了微博、博客，即用户产生内容；到Web3.0，内容可以由物件产生，它需要语义搜索、语义图书馆、语义数据库等。到Web4.0，有了智能搜索，当你输入一个关键词，搜索引擎能够根据相关的成千上万条信息给出综述，你可以再根据需要进一步查找。Web从3.0发展到4.0，是互联网的应用引起的信息爆炸所需要推动的技术演进。我们希望下一代互联网是可信的、移动的、支持物联网、支持泛在网的互联网。

我们还可以看一看计算机发展过程，最早我们做大计算机，原来叫超级计算机；后来把多个计算机连在一起，我们叫机群计算；现在我们把地域上分散的计算机连起来，叫分布计算；后来，各个公司的计算机联合起来，这个时候叫网格计算；我们还需要计算像自来水一样方便，可以随取随用，这就是公用计算。进一步发展是云计算。云计算实际上是分布计算、并行计算、网格计算、公用计算、虚拟计算的组合。

云计算是一种服务外包的概念。很多企业要办网站，但可以不用买服务器，租用运营商的服务器，让运营商帮我们管，这叫作IaaS（基础设施即服务），还有PaaS（平台即服务），提供软件开发工具供租用；但对于大多数中小企业，可直接提供软件供租用，这即

7

SaaS（软件即服务），例如提供客户关系管理、企业资源管理等软件。云计算实际上是一种服务外包的概念。

有些小企业往往需要公共云给它提供服务。有些企业比较大，它自己建一个云平台，不需要公共云，这个叫作私有云，但私有云可以跟公有云合作，这称为混合云。

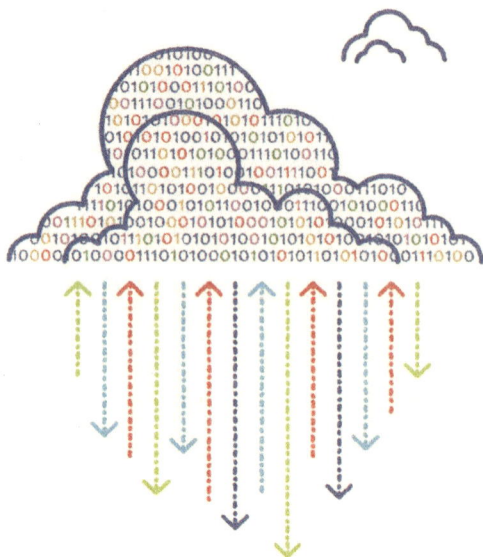

中国现在很多地方都在做云计算，实际上多数只是云存储，并没有进入云服务。云计算实际上离我们不远，有些年轻人注册了hotmail的邮件，你的邮件就进了Google的云平台里面。云计算的服务还可以用于存储与共享你的文件的Google Docs、社交网络、在线计算备份服务、在线相片存储服务、在线医疗记录存储。

再说一下日常用得最多的移动通信。移动通信与固定通信的区别是需要驻地位置寄存器、访问位置寄存器，比如你是广州的用户，跑到北京，只要一开机，北京的基站就知道有广州的客人来了，但是你的朋友并不知道你出差到北京，他打电话还照样打到广州来。这个时候的通话并不会经过广州绕一圈，它直接就通到北京了。移动通信经过漫游知道你的位置，移动通信的用户所处的位置

8

是能够定位的。

第一代移动通信（1G）是模拟电路交换，现在大量使用的已经是3G、4G，实际上国际上已经制定5G的标准。通信从频分多址到时分多址，再到码分多址，4G是正交频分多址，容量大大增加，移动通信的带宽会大大提高。现在80%的移动通信是在不移动的时候用的，可以转到房间的Wi-Fi，再通过Wi-Fi转到有线网上，以节约频率资源。随着技术进步，容量越来越高，峰值速率会越来越高。

早年的手机只能听和讲，屏幕上最多显示一个号码，到2012年手机已经有四核处理器、重力感应、光线感应、手势输入、语音搜索、语音翻译、柔性屏幕、3D游戏、投影仪、画板等能力。

现在，手机的功能越做越强。苹果手机带语音搜索，你向它提问，它会给出很有针对性的回答，因为它已经从你每天使用手机的习惯中了解了你的需求。现在我们可以用手机发照片、视频，在上面画漫画。为什么手机的发展这么好呢？因为它可随时随地利用碎片化时间，个性化、私密化、娱乐化、互动性，获得用户身份识别、用户位置信息、用户在线状况信息，可定制，它是以人为中心的，所以它的发展一定会很好。

物联网是未来互联网的重要特征之一。物联网从传送到感知和面向分析处理的应用，实现更全面的互通和更透彻的感知等等。物联网一个很重要的基本元素叫RFID，大家到宾馆登记住宿以后有个卡，这个卡靠近门把手的时候接收到电磁波，电磁波转化为能

9

源让卡里的芯片工作，调入芯片里存的信息：什么时候进的房，什么时候离开的，都知道。既然可以知道人，当然也可以知道物。物联网还有一个重点是传感器，电量必须从模拟到数字才能存起来，不是检测到什么数字就马上发送，它需要很多的处理。比如房间里有温度计，我关心的是有没有超过23℃，传感器只需要报告Yes或No就行了。当然传感器是需要定位，需要收发单元。单个传感器不可靠，需要多个传感器才可靠。

智慧城市的内涵

中国现在处于城市化建设的大潮中。城镇化科学发展就是利用现代科学技术建设智慧城市。智慧城市的概念与数字城市或智能城市相同的是聚焦在ICT设施的作用，但智慧城市更多的还关注人力资源、教育、社会有关的资源及环境。`

智慧城市应该追溯到1998年美国副总统戈尔提出的"数字地球"概念。2010年，上海、北京、宁波、无锡等十多个城市启动"智慧城市"战略，住建部、工信部、国标委开展"智慧城市"试点。

智慧医疗　大数据　智慧学校　智慧交通　智慧家庭　智慧社区　智慧建筑

　　智慧城市是城镇化发展的下一个阶段，是城市信息化的新高度，智能服务是它的重要标志，物联网是包括在其中的一个应用。智慧城市绝不仅是信息技术的概念，也不完全是城市发展简单的水平概念，它涉及社会、经济、文化、政治的各个方面。

　　欧盟提出智慧城市的评价标准有六项，即智慧经济、智慧移动性、智慧环境、智慧人民、智慧生活、智慧治理；宁波市市长提出了智慧城市的评价指标也是六方面：智慧基础设施、智慧管理、智慧民生、智慧产业、智慧人群、智慧环境。

　　智慧城市跟物联网有什么关系呢？物联网是智慧城市网络能力的基础，但智慧城市的网络能力内涵更为丰富。物联网包括服务、数据与内容、用户与标识、物品与传感器。物联网目前只是环境感知和数据感知，未来的智慧城市要有服务感知、社会和经济感知，有人文的概念。

　　北京、上海、天津、重庆、广州、武汉、南京、成都、宁波、深圳、大连，都有各自的智慧城市建设规划及项目重点。

　　按照智慧广州的规划，广州将吸引和培养人才，以新型技术、产品、服务产业来实现智慧城市的可持续发展，要建成具备国

际竞争力的创新型、知识型产业，此外还将围绕技术创新，加快城市转型，建设"幸福广州"。智慧广州主要计划有宽带广州、网络城市、云计算、智慧设施、智慧政府、智慧公安、智慧城管、智慧民生、智能产业、智慧教育、智慧生活和低碳排放等。广州目前已经确定天河示范区和南沙智慧岛：天河示范区将建立一个城市管理平台，为居民提供转型服务；南沙智慧岛将试点物联网实施工作，为企业和社区提供服务。广州知识城不仅要使用新型技术，而且将成为新型实施和运营模型以及新政策的理想实验场地，着重两方面，即宜居、创新，这是广州知识城智慧城市的目标。

12

两化融合的应用

信息化和工业化的应用首先是电子政务。政府有效利用电子信息手段，为企业提供很好的电子商务环境，这是智慧城市所需要的。企业的信息化包括产品功能数字化、产品设计数字化、制造装备数字化等。

例如，过去企业要做一个新的装置，要先把零件一个一个做出来，组装之后才能发现它是否组装得好；现在可以通过网络来设计，把所有零部件设计好，并在网络上模拟它是否能在机器上很好地运转。浙江的中小企业很多，地方政府就建一个平台，买了很多这样的设计软件，以此帮助中小企业提高竞争力。

物联网在工业上、农业上都可以广泛地应用，制造业的供应链、采购、库存、物流跟踪、生产环境监测、生产过程用料与工艺优化、设备管理、产品全生命周期监测、农产品加工、牲畜管理、农用化肥管理、农药管理等，都可以用到。

美国硅谷有一个公司搜集了很多天气信息，他们设计了一个软件，分析农民明年生产什么能丰收，他们的大量数据还相当准。我们中国农业也需要这些信息。

智能电网变为现实以后，可以运用到发电、输电、变电、配电、用电。智能电网能够知道什么时间用什么电，因此许多企业可以避开峰值时间用电。

13

此外，还有食品安全——实际上很多食品安全问题不发生在生产环节，而发生在流通环节。果蔬、肉禽在发达国家基本上都是冷藏运输，中国的水产品现在的冷链运输率只有23%，将来用物联网可以监控冷链运输。

利用物联网还可以监视桥梁、滑坡和尾矿库安全，进行地铁施工安全监控、城市地下管线的监测、核电安全运行检测等。

环保也是很重要的一个方面。通过生物传感器进行环境监测。比如对河流用生物传感器取样，每次取样之后，通过卫星发回去，沿路的水质都能够检测。将检测数据加到数字化的河流模型中，通过电脑上网访问，我们就能知道河流每一段的水质状况。

智慧城市的服务

现在全球都往老龄化发展，中国也不例外。面对老龄化趋势，医疗信息化就显得很重要。医疗信息化可以实现电子病历、计算机化医嘱录入系统、计算机临床决策支持系统，这几个系统建立可以减少医疗差错。现在物联网和移动通信为发展电子保健提供了很好的基础。

中国有全世界最大容量的病例，中国理当挖掘出最好的诊疗方案。现在用电子化病例，通过关键词可以提取病案。例如，现在北京的三甲医院每天的门诊量大得惊人，在这些医院看病的70%都是外地人，一些大医院现在是医生人手一个平板电脑，护士人手一个信息终端，管理非常方便。

现在更多地希望大家不是有病去医院，而是居家健康监视。可以在家里用传感器测血压，数据通过手机送到医院。比如，广州的南方医院跟中国联通合作开发了远程医疗系统，医生可以远程帮助病人，及时指导当地医生来解决。再比如，上海闵行规定所有病人看病必须首先到社区医院。社区医院的医疗仪器跟大医院一样。规定先到社区医院，是因为初次去看病的病人大概20%是没病的，只是怀疑自己有病，这部分人就不需要到三甲医院。病人通过手机可以了解这家医院的布局，如果不知道挂哪个科，可以通过短信了解。它还可以实现监护——有的人把老人送到医院后，工作忙，可以实现在家里视频监护，你可以随时知道你家的老人在医院的情况。

数字化技术可以运用在生活的各个方面。监狱铁丝网上安装了传感器，可以防止有人爬上去；商场和超市食品架前面有高清的摄像头，可以防止有人偷窃；甚至能够运用技术监控学生进出学校的时间，及时通知家长。利用移动通信终端的即拍即传和定位功能，可以实现实时的城市网格化管理，比如城市交警对交通违章的管理、交通事故的快速定损理赔、城市工商管理部门的行政执法、城市流动人口的管理、城市环卫管理、城市突发事件的协同综合管理等。

网络支持我们学习，这是一种新的学习形式。网上教育可以是点到点教育，还可以做大众教育。互联网还可以娱乐：在家里闲

15

得无聊，想跳舞，但是没有舞伴不要紧，可以虚拟一个女伴在旁边跟你跳舞。没人跟你打球，不要紧，可以虚拟一个人同你一起打。

智慧城市是城镇化进程的下一阶段，是城市信息化的新高度。无线城市、数字城市、宽带城市、物联网城市是智慧城市的必要条件。低碳城市、绿色城市、生态城市、幸福城市、宜居城市、学习城市、创新城市是智慧城市的应有之义。

智慧城市不仅强调信息通信技术对经济社会和民生服务的重要作用，而且重视人力资源、教育、社会资源及环境对城市发展的影响。智慧城市为市民提供智慧生活，智慧生活不仅更舒适，而且更充实更有意义。

智慧生活是长远的目标。智慧城市需要公众的参与，智慧生活需要大家来创造。智慧城市的管理比建设要困难，需要探索可持续发展的模式；智慧城市考验政府的管理水平，需要城市领导者的大智慧。

2 发展城镇矿山，
促生态文明建设

陈勇

中国工程院院士。

我国杰出的能源新技术专家，从事洁净煤技术、有机固体废弃物综合治理与利用技术、生物质能利用技术、能源战略研究。主持各类科技项目近50项。发表论文205篇，主编著作9部，参编著作7部，获专利23项，获国家、省部级科技奖励6项。

曾任中国科学院广州分院、广东省科学院院长，第十届、第十一届全国人大代表。兼任中国能源学会常务理事、节能减排专业委员会副主任，中国环境科学学会固体废弃物专业委员会委员，国家洁净能源重点实验室、国家清洁煤利用重点实验室学术委员会委员，联合国工业发展组织国际太阳能技术促进转让中心特聘专家，国家科技部国际合作专家委员会专家，广东省能源学会副理事长。历任"十五"国家"863"能源领域专家委员会副主任，中国科学院广州能源研究所所长，中国科学院华南植物园主任。

废物是资源，想把这些资源利用起来，需要我们人类共同探索、创新。

我国经济发展与环境问题

改革开放以来，我国经济社会发展有很多新动态：

经过30多年的改革开放，我们国家的产业规模不断壮大，工业在国民经济中的主导地位不断加强。主要工业产品产量成倍增加，出口能力显著增强。

2011年我国的钢、煤、发电、水泥、化肥等产量首次跃居世界首位。那时候出口的主要是一些原材料，发达国家把进口的原材料加工成产品又卖给我们。

创新能力显著提高，技术水平不断提高。大中型工业企业的研发人员占比和研发经费的占比都提高得很快。应该说，这些年我们的企业已经从简单的生产转向注重技术创新方面。我国重点行业淘汰落后产能的任务取得显著成效。

当然，大规模地下达指标开展这项工作大概是从"九五"和"十五"开始的。我们在钢铁、有色金属、建材、食品、纺织服装方面做了大量节能减排的工作。

19

我国当前面临的环境问题

1. 重点流域和湖泊水污染形势严峻

一至三类水、四至五类水和劣五类水水质断面比例分别为68.9%、20.9%和10.2%。主要污染指标为化学需氧量、生化需氧量和高锰酸盐指数。重点湖泊水水质较差，总体上还没有抑制富营养化。以前讲水质的污染比较多，最近讲土地的污染稍微多了一些。

2. PM2.5形势严峻

天津、上海、重庆、苏州、广州、南京、宁波与新加坡、伦敦、澳大利亚、纽约、洛杉矶、芝加哥、休士顿、费城等相比，目前京津冀地区PM2.5年均浓度有所下降，但PM2.5前体物的浓度仍然是发达国家的10倍左右。我们现在太拘泥于究竟PM2.5由什么构成，甚至有人在研究它是什么性状，这些研究固然重要，但是最为重点问题应该是从源头防治。

现在，汽车数量还是这么多，建筑工地、工业排放的规模还是这么大，PM2.5指数是80还是200，意义又何在？其实它的源头不外乎三大产生源，即工业、建筑、交通，若是能从源头抓起，定能有效控制雾霾。

3. 土壤污染形势严峻，可利用土地减少

1989年全国耕地面积为14.38亿亩，其中约0.9亿亩农田被工业"三废"所污染，1995年全国14.18亿亩耕地中被污染面积上升为1.5亿亩。中国的土壤问题、地下水的问题值得引起关注，因为这与国计民生直接相关。

4. 城乡水资源与暴雨涝灾效应

现在有些城市一下雨就洪涝，这的确是因为城市扩张、废物填埋，造成大量湿地、河流的消失。在城镇化过程中填掉了很多水系，所以使得我们的排洪能力大幅下降。2007年重庆"7·17"大暴雨、2011年北京"6·23"大暴雨、2011年武汉"6·18"大暴雨、2012年北京"7·21"大暴雨给人们的生活造成了极大的不便，甚至直接导致了人员伤亡，经济损失巨大。

5. 各类有机废物大量排放

垃圾问题包括秸秆焚烧、畜禽粪便、地沟油等方面。我们都要提高环保的意识，不要以为自己的这个小区环境好，把东西排出

去了。但是你有没有考虑排出去的东西到哪去了，实际上有可能就在你的背后，甚至有可能又回到你的食物链来，或者到你周围的环境中来了。

中国经济经过30多年的高速发展，一方面给社会带来了繁荣昌盛，给人民带来了福祉安康；另一方面也造成了巨大的资源消耗和浪费，同时产生并积存了大量的生产和生活过程中排出的废物，污染了大气、土壤和水质，生态环境问题日趋严重。践行生态文明建设势在必行！

生态文明建设的内涵和目标

人类文明史就是一部人与自然的关系史，从原始文明到农业文明，工业文明到现在为止已经有三百多年，第四阶段——生态文明的曙光已经照进先觉者的心里。

中央领导提出要搞生态文明建设，生态文明的概念可能是中国人的一个创举，因为生态文明的概念比低碳经济的概念更大，因为它包含了低碳、循环利用、绿色。生态文明是指人类遵循人、自然、社会和谐发展这一客观规律而取得的物质与精

拥有发达的生态经济

树立先进的生态伦理观念

生态文明五大特征

建立完善的生态制度

保障可靠的生态安全

持续改善生态环境质量

神成果的总和；是指以人与自然、人与人、人与社会和谐共生、良性循环、全面发展、持续繁荣为基本宗旨的文化伦理形态。

西方社会追求低碳经济的发展，之所以提出"低碳经济"这个概念主要是因为人类生存环境受到了挑战。1972年联合国人类环境会议发表了《人类环境宣言》。1987年联合国环境与发展委员会发表了《我们共同的未来》。1992年联合国环境与发展会议发表了《里约环境与发展宣言》。到了1997年，形成了《京都议定书》。2002年世界首脑会议上首次反省了《人类环境宣言》没有实现的原因。当然，这与美国有很大的关系，因为美国一直不愿意承认这个现实，也不愿意签约。到了2009年，美国首次在哥本哈根会议上承诺减排。2011年德班气候变化会议提出实施《京都议定书》第二承诺期。2012年多哈气候变化会议提出《京都议定书》修正案。2013年开了两次会议，一次会议是波恩气候变化谈判，提出2020年前加强贯彻落实《联合国气候变化框架公约》，还有一次是华沙气候变化会议。

《联合国气候变化框架公约》提出了应对气候变化的理论：人为排放二氧化碳造成了温室气体浓度不断增加，所以全球气候变暖，引起极端天气频发，因此必须限制二氧化碳排放，发展低碳经济。

于是就有了几个争议，一是历史上应不应该考虑各国累计二氧化碳排放量？如果考虑，从哪开始累计？从工业社会发展开始累计，还是从近一百年开始累计，还是从二战后开始累计？1900年到2005年人均累计排放，如果累计起来的话，我们承担的责任还小一些。

第二个争议是，温度对二氧化碳浓度的敏感性究竟有多大？

是不是认为二氧化碳排放造成了气候的变化？做研究的人往往喜欢选取能够支持自己观点的数据，而忽视了别的数据。所以有人认为，随着二氧化碳浓度的增加温度就增加；但是，也有一部分人认为，温度对二氧化碳并不是特别敏感。

第三个争议是，人为作用对二氧化碳浓度变化究竟有多大？人为的力量大，还是自然的力量大？有人提出，一场火山爆发排放的二氧化碳的量可以超过一个国家发展几十年排放的量。

整天围绕着上述的争议而讨论，到现在为止限制二氧化碳排放的问题都没有解决，因为达不到共识。

"低碳经济"提出的大背景，从表象看是全球极端气候变化对人类生存和发展的严峻挑战。"生态文明"提出的大背景，从表象看也是资源和生态环境遇到了挑战。

其中，深层次的原因是全球性创新不足，首先表现在缺乏新理论，也没有颠覆性的创新理论。我们现在感受到的创新都是一些在前人理论的基础上的创新，但是前人的基础理论还有许多值得商榷的地方。另外，投机心态、崇虚心态日益增加。比如美国喜欢做泡沫，我国的一些做实体的企业家挣了一些钱以后都去做投机事业。这是整个世界的问题，日本经历了两次经济危机都是由于泡沫造成的。

另一个深层次的原因是全球性生产生活方式的奢侈性问题，这对资源、环境、能源带来了极大的问题和浪费。现在大家开始意识到这个问题，比如以美国、日本为代表是崇拜大消费。过去大家经常讲一个故事，说拿到日本人给你一个礼品——一个很大很精美的盒子，拆了几圈以后里面装的是一个很小的东西。现在人们意识到，可持续发展必须走低碳发展、生态文明的新兴工业化道路。应该说我们国家是很重视生态环境保护的，但是客观地讲，实际过程还存在一些问题。

我们国家应该走什么样的生态文明之路？毫无疑问，我们的人均能耗排放必须定一个"天花板"，这个"天花板"是不能超过欧日目前的状况。

我国目前人均GDP只有欧日的1/9~1/4，如果按照欧日的模式发展，我们要赶超他们的话，我们的单位GDP能耗必须在现有水平的基础上至少下降一半。如果要考虑排放总量、能源结构等问题，我国人均GDP能耗必须显著优于当前欧日水平。当然，我们这么大一个国家，排放大也不可避免，但是我们要尽可能降低。

走生态文明的路，就是要实现经济、能源、环境、生态的共赢。但是经济、能源、环境、生态这之间能共赢吗？客观上讲，这几者之间是有博弈的。能源消费与经济发展存在博弈，因为经济发展需要能源，能源越多当然发展越快，又要马儿跑得快，又要马儿不吃草，可能吗？但是我相信我们有智慧实现协调。

我们做了统计，发现大环境是不错的，但是局部生态环境有问题。我们的生态环境是最大的，经济发展也是最快的，而我们的环境值和能源值都不是太好，就是说能耗还比较高，环境污染还比较严重。环境的问题基本上是属于局部性的。大城市中心的平均温

25

度一般会比郊区高出两三度，这就是一个局部效应。同在一片天空下，为什么它的温度高那么多，就是因为热量很难散发。

发展城镇矿山可以实现资源、产品、废弃物、再生资源的循环经济发展模式，可以减轻环境污染，可再生能源。生态文明建设的目标就是要实现经济、能源、环境、生态的共赢，发展城镇矿山是生态文明建设的重要抓手。

城镇矿山提出的背景与内涵

经过工业时代300年的无节制开采——不光是中国人"无节制"，而是全世界"无节制"。全球80%以上可工业化利用的矿产资源，已从地下转移到地上，并以"垃圾"的形态堆积在人们周围，总量高达数千亿吨，并还在以每年100亿吨的数量增加。这里主要讲的是电子和金属废物。

在中国、日本、韩国等亚洲地区人们称那些富含锂、钛、黄金、铟、银、锑、钴、钯等稀贵金属的废旧家电等称为固体废物。有资料统计显示，1吨废旧手机可提炼400克黄金、2.3千克银、172克铜；1吨废旧个人电脑可提炼出300克黄金、1千克银、150克铜及近2千克其他稀有金属。

日本政府积极推进城镇矿产的开发，以实现资源循环再利用，达到弥补天然矿产资源匮乏的战略目的。

日本人的电子技术发展战略实际上是一种掠夺资源的战略，因为这些稀贵金属是从生产于其他国家的电子和金属废弃物中提取出来的，换句话说，这些金属资源本来是属于生产国家的。

我国家电产品多数是20世纪80年代中后期进入家庭的，以10年至15年的使用寿命估算，到现在也该到了回收利用的时候，如此大规模废旧电器中蕴含的可加以利用的再生金属含量及其市场前景是巨大的。2016年，中国主要再生有色金属产量达到1370万吨，其中铜、再生铝、再生铅占当年铜、铝、铅产量的比例分别在25%、50%、15%左右。

城市矿产主要是以电子垃圾和稀贵金属废物为主，而人类生产生活过程排出的废物远不止这些。我国每年产生的生活垃圾、市政污泥、畜禽粪便、工业废渣、农林废物、建筑垃圾等城镇废物超过100亿吨，其中，畜禽粪便（不包括人）约47亿吨、生活垃圾约1.75亿吨、工业废渣约33亿吨、市政农林废物约12亿吨、建筑垃圾约5亿吨。还有大量历年倾倒入江、河、湖、水库、山地中的废物。这些废物若不妥善处理就会成为巨大的污染源，污染大气、水源和土壤，同时，还会引发各种社会问题。自2009年以来，全国各地发生的有关生活垃圾处置的抗议有300余起。

另外，除了这些有形废物外，还有我们生产生活过程中排放出来的大量无形废物、余热，这些余热会带来热岛效应，也会给生态环境造成破坏。

如果把这些有形和无形的废弃物作为资源来加以利用的话，

27

则可产生超过10亿吨标准煤的能量、约7000万吨的有机肥、约650亿立方米的沼气；废纸、塑料、玻璃和金属等固体废物可回收再生利用，以间接节约大量资源和能源。

据估算，每回收1吨废钢铁可炼钢约0.9吨，比用矿石冶炼节省成本约47%、减少空气污染约75%、降低水污染约97%；富含锂、钛、黄金、铟、金等稀贵金属的废旧家电、电子垃圾经过再生利用可获得大量的贵重金属。

我们国家现在很重视城镇矿山的开发，制定了规划，并且批示了城镇矿山计划基地。中共中央十八届三中全会又明确提出，要解决城乡二元结构制约城乡发展一体化的问题。客观上讲，大气、水、土壤的污染是没有城乡界限的，因而节约资源、环境保护也应统筹考虑城乡结合。

在这样的背景下，我们提出了城镇矿山的理念，这比城镇矿产的内涵更丰富，范围更广阔，影响更深远。什么是城镇矿山？就是我们人类生产生活过程中排出的各种废弃物，这些都是资源，如果把它们加以利用，就相当于一座矿山。不仅是现有的矿山资源可以利用，原来旧的矿山资源也可以利用。例如由于过去技术落后，燃烧完的煤灰里还含15%的煤，还可以把85%的粉做成建材。

开发城镇矿山重在创新

陈旧的矿山和现有的矿山的资源量是非常大的，很多企业家都发现这是个宝藏，但是开发城镇矿山不是一件简单的事，涉及各个方面。

那么，我们现在发展城镇矿山存在的瓶颈问题有哪些呢？

第一，看似大家都懂，人人都似乎是发言人，实际上只懂表面不知里，影响客观处事和技术发展。

第二，看似简单易行，技术看似"简单低档"，实际技术复杂、形式多样。技术复杂表现在学科交融、技术交叉、系统集成；形式多样表现在生活环境、生活习惯、生产技术上各有不同。所以说，别看是个简单的问题，实际上这里面需要很多学科来支撑。

第三，看似大家重视，每一个政府工作报告里都把环境问题作为首要问题，有些地方领导的确做得非常好，都冲在第一线，但实际上缺乏总体规划。我们要有科学的支撑，要有运行模式上的创新，要有产业链的设计，要有监管机制。这些方面，现在我们都很缺失。

第四，看似人人关心，谈起这个问题时群情激昂，面对现实时敬而远之、漠不关心。

怎么做城镇矿山事业呢？关键在于创新。

首先是观念创新。废物是资源，资源要利用。

其次是模式创新。市场主导，政府监管，全民参与。比如化整为零，分类处置，社区自治，闭环运营。废物利用必须全民参与。

很多人都是这样的，分类垃圾的时候嫌烦，一旦把垃圾收走，离开了自己的小区，就认为不关自己的事了。一旦要在小区门

29

口建垃圾处理厂时，居民一定要贴一个横幅出来反对。如果大家都反对在小区附近建垃圾处理厂，那还怎么解决问题？在小区内建垃圾处理厂，在垃圾还没有真正成为垃圾时就把它转化为资源，在运出去时就成为资源，这不是很好吗？一旦垃圾出了小区，就可能变成真正的垃圾了。举个例子，一张纸掉在地上它并不会有什么污染，一旦和海鲜混在一起，24小时以后它就变成了一个新的传播源，那时候它变成了真正的垃圾，无法再回收利用。

另外，垃圾收集的方式也可以创新，垃圾问题要解决好就是要

30

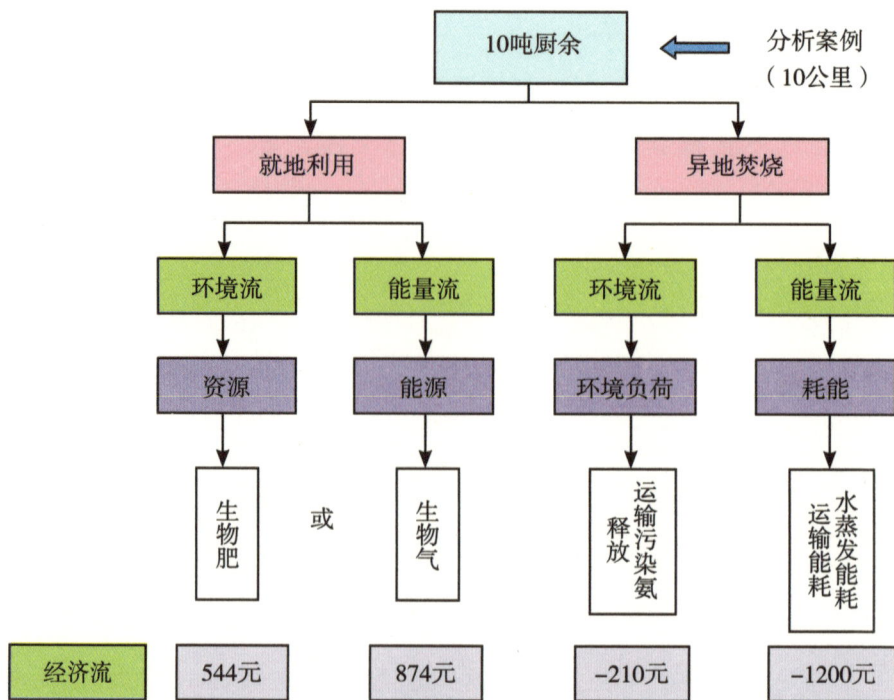

基本思路："就地就物，分级分步，掘尽其能，用尽其物"

解决湿垃圾即厨余的问题。在南方，厨余垃圾夏天放12小时，冬天放24小时之后就开始腐烂。所以说厨余垃圾要当天回收。实际上不用分得很细，分成厨余垃圾、干垃圾、干电池、微废就足够了。

再次，是技术创新，理论创新，集成创新。基本思路是就地就物，分级分步，掘尽其能，用尽其物。废物不出园可大大减轻集中处理的负担，它的意义除垃圾减量外，还可以减少运输成本及运输过程的污染，增强人人参与的程度，并使资源得到综合利用。

1998年第一次房改以来至2013年，我国城市新增的商品房面积约52亿平方米，按人均36平方米计算，大约1.3亿人住在商品房小区里（这里没有考虑空置率的因素），如果按人均每天1公斤垃圾计算，这部分人每年产生的垃圾近0.4亿吨，约占我国全年垃圾总量的20%。要是周围的餐饮、超市排出的废物也采取就地处置的话，则可使目前城市生活垃圾集中处理量减少近30%。

城镇矿山包括电子垃圾、家居固废、生活垃圾、市政污泥、人畜粪便、工业垃圾、农林废弃物、钢厂废渣、建筑废渣等，它们可以转化为各种能源和材料。比如说能量元素，可以做固型燃料、液体燃料、发电、供热、气体燃料、化工原料。

把所有资源拿去焚烧发电，这是效率最低的做法，要把资源量极大化，做到尽，最后到实在不行再去焚烧发电，这是最好的一条路。焚烧发电相对于其他再生技术和模式来讲经济效益差一些，不到万不得已不应该用这种方式，因为这样浪费了很多资源。

发展城镇矿山需要观念创新、管理创新、技术创新。

31

温氏集团大型畜禽粪便快速好氧堆肥，某大学小区以人的排泄物为原料，产生的沼气经过净化后用于汽车燃料。针对大量的填埋酒厂废渣可以进行生态修复，也可以利用资源。比如格林美，建成中国第一条对报废线路板整体资源化回收的生产线，年处理线路板2万吨，占中国总量的20%，回收1万吨铜、5吨金银钯铑等稀贵金属。2013年7月22日上午，习近平总书记随后视察格林美电子废弃物处理车间30分钟。总书记高度肯定格林美，并在现场指示："变废为宝、循环利用是朝阳产业。垃圾是放错位置的资源，把垃圾资源化，化腐朽为神奇，既是科学，也是一门艺术，格林美是我见过的循环经济企业中最好的企业！你们要再接再厉。"

生态文明是人类社会发展的必然选择，是以化石（高碳）能源为基础、以需求（满足人类消费需求和利益最大化需求）为导向的传统发展模式向以非、低化石能源为基础、以自然和生态为导向的全新发展模式的转变。我们现在没有现成的理论课依据和经验可借鉴，也没有现成模式可仿造，需要人类共同探索、创新。就中国目前而言，建设生态文明的重要抓手是能源变革、城镇矿山、生态智慧城市。

3

中国的月球探测与深空探测

叶培建

中国科学院院士。

空间飞行器及信息处理专家。因主持中国无人探月工程，被称为"嫦娥之父"。曾任中国空间技术研究院院长助理、计算机总工程师、传输型对地观测卫星总设计师兼总指挥、对地观测卫星首席专家、"嫦娥一号"卫星总设计师兼总指挥。现任航天科技集团公司科技委顾问，航天科技集团公司"嫦娥三号"探测器系统首席科学家、"嫦娥五号"总设计师、总指挥顾问，空间科学与深空探测首席专家。十一届、十二届全国政协委员，清华大学、浙江大学、北京航空航天大学等高校兼职教授，博士生导师。曾获国家科技进步特等奖、一等奖等多项奖励和全国"五一劳动奖章"。

如果一个国家、一个民族没有仰望星空的人，这个国家、这个民族是没有出路的。

"嫦娥三号"升空后，表现非常好，超出了设计者的预想。在央视《新闻联播》对"嫦娥三号"的小结里，火箭女总师姜杰说："火箭打得很准"；孙辉先副总师讲："科学仪器工作得很好"；国家的电子科技集团总经理熊群力说："设备很好"；航天科技集团董事长许达哲说："国外20次才能做成的事情，我们'嫦娥一号''嫦娥二号''嫦娥三号'三次就做到了"。我说："在预定的时间，准确地落到了我们要求的地方"，这是很厉害的。

但是在网络上、媒体上也有不同的声音。有人提出，我们国家还有人吃不上饭，还有生活很贫困的地方，为什么我们要把钱花到月亮上去？

人类为什么要到空间去？

人类之所以要去太空，说来说去，就是为了资源。

空间给我们很多资源——这里所说的空间是100公里以外。20公里以下是航空空间，在20公里到100公里叫临近空间，而我们现在不讲航空，也不讲临近空间，只讲100公里以外的空间。

在100公里以外的空间，我们能得到什么资源？

第一是信息资源。人类要进步，就要不断探索，人类只有不断探索才能生存。我们今天在地球上，但是我们回答不了很多很基本的问题——宇宙是怎么形成的？太阳系是怎么形成的？地球是怎么形成的？地球上最早的生命是哪来的？人类现在已经能够上天、入地、下海，但是回答不了这些最基本的问题，因为我们的人类非常之渺小。

我们渺小到什么程度？

从时间尺度来看，137亿年以前大爆炸产生了这个宇宙，如果我们把整个137亿年看成宇宙史的一年。在这一年当中，到7月份才有了太阳系，9月9日才有了地球，而地球上最早的生命哪来的？有人说是地球上本身就有的，有人说是外面的行星撞击地球而到来的，我们还没弄清楚。在这个时间尺度里，恐龙生活的时间是12月24日到12月28日。有智慧的人类，存在时间还不到20分钟，以20分钟的历史去看待一年，看不透。

从空间尺度来看，我们就更小了！宇宙间已知的像银河系这样的有千千万万个，银河系里的行星也有千亿个，太阳系只不过是

其中的一个。离太阳系最近的半人马座，也有4.2亿光年。前段时间新闻媒体说美国的"旅行者号"已经走出太阳系。这个说法是不对的，它不可能走出太阳系，一万年也走不出，它只不过是走到了太阳风暴很弱的地方。因为光都要走4.2亿年，"旅行者号"才走了三十几年，怎么可能走出太阳系。

我们人类要想知道更多的东西，必须走出地球。"航天之父"齐奥尔科夫斯基曾经说过："地球是人类的摇篮，但人类不能总是生活在地球之中，一定要走出去。先是小心翼翼地穿过大气层，接着就是整个宇宙。"因此，如果我们连自己的历史都搞不清楚，连我们的环境都搞不清楚，是不可能发展的。

第二种能够获取的资源是信息传播途径。这个因素是我们大家实实在在看得见的。

所有的航天器，以我们中国来说，离地面最近的地面航空器是几百公里，神舟飞船是最近的，"嫦娥二号"目前是最远的——7000万公里，月球探测器距地面约40万公里，通信卫星基本上都在36000公里以上的高空。

站得高，看得远。以前没有天上的通信卫星，电视转播要修电视塔，一个电视塔也不过是传播七八十公里，而我们在空间放一个卫星，它是跟地球同步的，理论上在赤道上空三颗卫星就能覆盖全球。气象站放了一个气球，也就是观测几平方公里，可是放一个卫星，观测的就是几百甚至几万公里。在天上的空间器还有一个好处，它不受地面的影响，无论是洪水、天崩地裂都不影响，例如我们在汶川大地震的时候，通信都是靠卫星。高位置资源是我们应用空间的一个主要依据，所有通信、广播、导航、动地观测、海洋监测卫星利用的都是高位置资源。

第三种可以获得的是环境资源。

空间是一个很神奇的地方，大家看到，我们的宇航员可以在飞船中飘浮起来，因为那是一个微重力空间，除了这个，空间还是一个非常洁净的地方。

比如在地球上的半导体工厂，在生产晶体管的车间，洁净度也就是一万极，最好的是一千极。要制造这样干净的环境，在地面上是非常困难的。可是到月球上，所有地方都是干净的。

空间还有很多辐射是对我们有利的，利用这些环境，可以在空间生产地面上不能生产的药品，进行金属的冶炼。比如我们国家就曾经利用卫星生产过很少量的砷化镓晶体。

我们中国是一个农业大国，人口很多，粮食问题怎么解决？我们发现，有很多种子经过几天空间的辐射以后带回地面栽培，会有神奇的结果，一个南瓜可以长到200多斤，一条豇豆可以长到1米多长，一个辣椒的辣椒素可以是普通辣椒的很多很多倍，甜瓜也会比普通的甜很多倍。因此我们前几年专门发射了一个种子卫星，在上面搭载了很多种子，现在这些种子正在全国各地栽培，或许它会为我们的粮食问题找到一条出路，所以，空间有很丰富的环境资源可以利用。

第四是空间有矿物质。大家知道，整个太阳系现在有八大行星。除了这几大行星外，太阳系还有很多小行星，已经命名的就有四万多个。有的小行星整个行星上都是钻石，有的小行星就是由金矿组成。月球上也有很丰富的资源，例如氦3。

现在地球能源越来越紧缺，未来可以持续利用的能源有两个：

一个是太阳能。但是地面太阳能发电效果很低，如果我们能在天上或者在月球上建一个电站，我们把电通过微波传送到地面，地面接收以后再转化成电能，这将是取之不尽、用之不竭的干净能源。

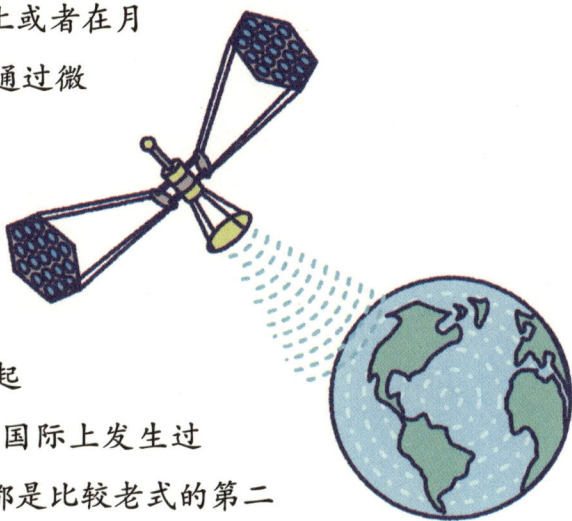

另一个就是核能。一说起核能，大家都很害怕。因为国际上发生过几次核电站的爆炸事故，那都是比较老式的第二代的核电站。第四代核电站要安全一些，它有可控的热核聚变。热核聚变要用到一些元素，比如氘和氚。氦是最好的，如果用氦3来发电，其效率是最高的。

宇宙的形成就是这么奇怪——地球上几乎没有氦3，而月球上有很多。月球上有多少氦3？美国曾估计有四五百万吨，而人类只需要一百万吨就够了。"嫦娥一号"上空，我们得出一个结论，月球上的氦3好像没有美国说的那么多，大概就是一百万吨，但这已经够我们用很多年，下一步就是怎么把它开采回来。

39

美国人有一个计划，他们想到比较远的地方抓一个小行星。这个小行星不用太大，只要10米的直径就够了。抓住小行星以后把它带到月球旁边，变成月球的卫星，然后再发射载人航天器，让宇航员和小行星同一个速度运行，宇航员可以登陆这个小行星，如果能够抓住的话，就可以利用这颗小行星上的资源。

开发太空的水平是一个国家经济实力和国家力量的表现。全世界能够建设航天器的国家只有20多个，其中最厉害的当然是美国。美国每打一次战争，无论伊拉克战争、科索沃战争，都要动用100颗以上的卫星来负责通信、导航、对地观测。如果没有这些卫星，美国几乎就不能打仗。

40

我国航天事业的发展情况

从1957年苏联发射第一颗人造卫星到现在，全世界已经有6000多个飞行器在天上，中国只有160多个，基本上航天器的几大种类我们都有了。

第一大类型是应用卫星。这是与我们的生活密切相关的，比如通信卫星，如果没有通信卫星，大家就看不到电视、用不了手机；没有导航卫星，驾驶汽车就很不方便；如果没有气象卫星，就看不到天气预报，所以大家

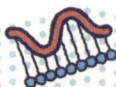

对这一类卫星感受非常直接；对地观测卫星可以知道哪里发生了水灾、海啸，这些卫星不单为中国服务还要为世界服务；我们还有很多卫星可以发现矿产、石油；此外还有用于国防建设的卫星。

我们的卫星有各种规格，一般来说，1000公斤以上的卫星叫卫星，100公斤到1000公斤的叫小卫星，10公斤到100公斤叫微小卫星，还有更小的卫星。比如说，如果有办法把手机弄到天上去，按照一定轨道飞行，它就是一颗卫星。——手机已经基本上具备了卫星所有的功能，打电话就是通信功能，照相就是异地观测照相侦察，手机还有导航功能，等等。

我们国家的通信卫星起步比较晚，但发展得很快，到目前为止，我们的通信卫星基本上跟国际水平相当。我们国家也能发射太阳轨道的气象卫星，绕到地球的南北极和太阳同步运行，我们把它叫作太阳的同步卫星。这种卫星离地球比较近，看得比较清楚，但是覆盖的面积比较小。还有一种气象卫星，在地球赤道3600公里的地方，离地球很远，但是看到的面积很大。我们可以把这两种气象卫星结合起来进行气象预报。

到目前为止，能够研发太阳同步气象卫星又能够地域同步的国家只有美国、俄罗斯、中国。我们还发射了20多个返回式卫星，能够回来的也只有这三个国家。

41

为了达到全球导航，必须在任何时间任何地方同时能够看到3颗以上的卫星才行，我们还没有做到。目前我们只能在中国和亚洲地区实现导航，再过几年我们要发射将近40颗卫星，布满全球。到时候，我们中国的军舰、船舶到全世界任何一个地方，导航都不成问题了。

我们中国的应用卫星发展得很好。1970年，在一万多人的努力下，我们发射了我国自行研制的第一颗试验卫星——东方红，后来每年发射两三颗，再后来每年能发射四五颗，近几年一共发射了几十颗卫星，将来我们一年就要发射几十颗卫星。可见，我们在应用卫星上已经发展得很好。

我国的第二个领域——载人航空，也发展得非常稳健。

从"神舟一号"到"神舟十号"，我们经历了几次跨越。"神舟一号"到"神舟十号"，前面四次是无人飞船；2003年"神舟五号"就载着杨利伟上天了，成为中国第一个宇航员。杨利伟上天确实比苏联晚了几十年，但是水平并不低：杨利伟落地偏差不到10公里，当年加加林落地偏差400公里；杨利伟在天上运行了一天，加加林只在天上运行了一圈，一百多公里；加加林落地是带伞的，而我们是飞船舱、返回舱整个舱体软着陆。

中国所有的飞船，从"神舟一

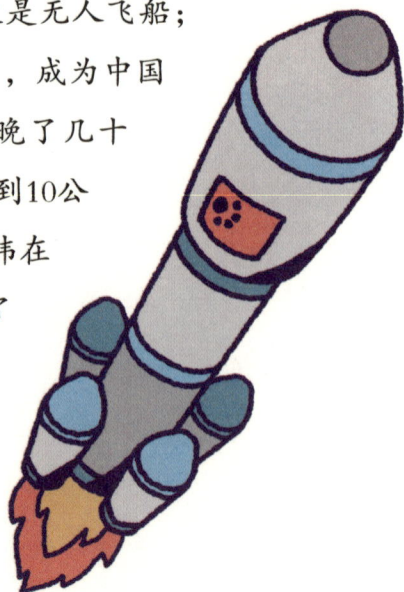

号"到"神舟十号"都有一个留轨舱，返回舱返回以后，留轨道舱在空间工作至少半年以上，发射了10次就有10个留轨舱，而每一个留轨舱相当于一个大型卫星，我们可以利用它来做很多事情。

"神舟六号"解决了多人多天的问题，两个宇航员待了好几天，实际上我们的设计水平是三个宇航员可以待7天。"神舟七号"完成了宇航员出舱。"神舟八号"完成了无人交汇对接。"神舟九号"载了三个宇航员——两男一女，既完成了无人交汇对接，又进行了有人交汇对接。"神舟十号"在继续完成有人、无人交汇对接的前提下，做了大量的空间交汇实验，发展非常快。

当然，我们现在的交汇对接还非常有限，只能纵向对接，我们下一步还要解决这个问题，因此，我们还要继续发展载人航天。

再下一步，我们还要发展我们的空间站。可以送宇航员上去，接宇航员回来，还可以送吃的、喝的。现在有一个国际空间站，按照原定的计划，再过两年就退役了，到了2020年，在茫茫宇宙中可能只有中国的一个空间站，所以有些国家很着急，他们想延长空间站的寿命。

我们能不能在21世纪初去到月球？

在2003年，我们国家的科学家经过充分论证，向国家提出了探月工程的"三大步"和"三小步"，"三大步"包括"探、登、住"，即探测月球、人登上月球、最后住上月球（当然是短期的住）。在"探"里面我们又设置了"绕、落、回"三步。我们现在正按照这个计划稳步向前。

我国在2007年10月24日发射了"嫦娥一号"——我们国家第一个月球探测器。"嫦娥一号"是一个完全独立自主的创新，我们申请了60多项专利，和过去的卫星很不同，我们克服了很多困难。

第一个困难是轨道的设计。月亮和地球交汇一个月就一次机会，必须在某月某时某分某秒发射！但是发射基地的负责同志、专家不干了，他们说如果那天刮风下雨怎么办？火箭同事也不干了，

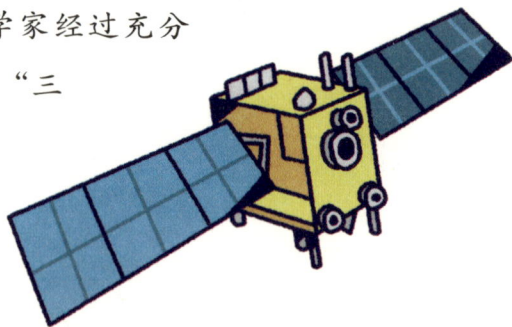

你要这个时候发，到时我这个火箭有一种燃料是必须提前48小时加注的，万一当中有什么问题怎么办？

我们想了一个解决方案来综合解决这些问题。如果天气好，提前三天发射，如果天气不好，推迟一天。后来经过大家的努力，火箭没有推迟发射，就是在那个精准的时间发射上去的，可是火箭上多装了120公斤燃料。国际公约，不能污染月球，所以在月球上我们反复地把卫星从高降到低，就是要把这些燃料消耗掉，最后创造了历史。

第二个困难，卫星在天上要工作，有一个太阳翼，装在卫星两侧，发射时必须展开。太阳翼压紧时每边7个螺拴，如果有一个不开的话就不行了。

太阳翼要对太阳定向，装科学仪器的科学翼要对月球，并侧对地球，三个方向不能兼顾，脑袋不能看这边又看那边，怎么办？我们决定太阳翼保持对太阳定向，所有的科学仪器通过卫星的姿态保证对月球，但是卫星在飞行的时候，要保证天线始终对着地球。这就要求，天线要在空间里能够灵活转动，无论卫星姿态怎么变，天线也转动着一直对着地球。要将几十万公里的天线始终对地，而且要适应月球轨道的温度变化，这个很难。

过去的卫星是绕着地球转，而"嫦娥一号"是要绕着月球转。探月卫星上必须用到紫外敏感器。当时我们国家还没有紫外敏感器的任何研究基础，缺少一个元器件，必须买外国的，外国人还不卖。我们跟他们讲，我们是探月球的，是为了全人类的，一定要卖给我们。他们同意了，但是他们到时候一定要来看是不是真的装上去了。结果他们很高兴地写了一个证明，说中国人用这个东西用在探月上，用得很好。

所以，我们是克服很多困难才取得"嫦娥一号"的成功。

"嫦娥一号"成功以后，获取了一张分辨率120米的月球图像，虽然分辨率不高，但是有两个特点，第一是全月球，"嫦娥一号"获取的图是含南、北极的全图，虽然分辨率只有120米，但所有人的视觉感官要比美国的那个效果要好，而且我们还获得了大量的科学成果。

过去，外国人不了解我们，"嫦娥一号"发射成功后，世界月球大会就在北京召开了。联合国有个公约说得很好，说"月球是全人类的"，后面还有一句话是"谁开发谁利用，谁先到谁得益"。

我们把"嫦娥一号""嫦娥二号""嫦娥三号"称为"大姑娘""二姑娘""三姑娘"。我们这个"大姑娘"当时舍不得离开地球去月球，绕着地球转了7天，像姑娘出嫁时一样。我们的"二姑娘"走得比较急，没有绕着地球转，一步就飞向了月球。

"嫦娥二号"是我们国家第一次搭载和验证X波段应用，这次"嫦娥三号"也落得很好。我们验证信号是要编码的，编码有很多讲究，其中有一种编码叫低密度奇偶校验码，这个编码方式国际上在深空探测中从来没有应用过。"嫦娥二号"第一次安装了多个监视相机，过去卫星没有这些东西，这样一来，我们就可以看到"嫦娥二号"太阳翼是怎么展开的，发动机是怎么工作的，等等。"嫦娥二号"不负众望，在月球周围工作了半年，完成了全部任务。

完成任务以后，身体还很好，很健康，怎么办？我们把"嫦娥二号"运行到离地球150万公里远的日地拉格朗日L2点上，在那个地方让它运行，我们的科学家在这个点上获取了很多太阳和地的系统的科学数据。我没有经过很好的考证，这个可能是全世界第二，最差也是全世界第三。

到了2002年6月，"嫦娥二号"还很好，很健康，吃喝也有，燃料也有。我们让它跑远一点吧，但是不要太远——找来找去就找到了一个行星，叫"图塔蒂斯"，这颗小行星长得像个大生姜。经过观察，它是不会来会我们的，我们去会它吧。

因此我们改变了"嫦娥二号"的轨道，让它去会这颗小行星。当时去会的时候，偏差是15公里，但有人问如果撞上怎么办，我说撞上正好，歪打正着，那就是我们撞上小行星了。结果，最后我们这颗卫星在飞跃"图塔蒂斯"的时候距离只有770米，获取了到现在为止全世界人类看小行星最清楚的照片。

就小行星的成果，再加上天文学家对小行星的分析，我们在飞跃小行星一周年的纪念日即12月13日在Nature（《自然》）上发表了文章。

"嫦娥二号"现在还在飞，它已经变成了一颗小行星绕着太阳转了。

2013年12月12日，我们发射了"嫦娥三号"。"嫦娥三号"

47

由两部分组成，即着陆器、巡视器，还有一个月球车。这个着陆器是我们国家迄今为止第一个带图的飞行器，也就是在地外天体着陆的飞行器。

"嫦娥三号"经过100多小时的飞行到达月球。14号那天，"嫦娥三号"要落月球，我们都在现场。我们看到着陆相机，看到图像，我们的心就安稳了。落月球以后，大概有3分钟的时间，我们再近看各种数据，一切都很正常，落下来的最大偏差是1.2米，非常准。

接着着陆器在月球上开始了一些工作。16号凌晨就用着陆器上的相机拍了巡视器上面的国旗，大家看到巡视器从月球车上走下来，我们知道第二步目标实现了，我们都感到非常兴奋。

16号过去以后，月球车小小午休了一下。月球的一天是地球的28天，因此月球的一个白天是地球的14天，月球的一个晚上也是地球的14天，落月球的时候相当于地球早上八九点，这时候不太热，我们就让它工作。工作两天以后，到了月球的中午，月面温度达到150℃，再加上它本身的发热，我们怕它热坏了，就让它午休了一会儿。

晚上是零下170℃，不见太阳，又发不了电，它要冻死的。我们要它开始工作。怎么办？所以这次的着陆器和巡视器是我们国家第一次使用了核同位素发热，它可以在零下170℃的情况下让月球车保持最低的生存条件。

我们闯过了那么多难关，才有了"嫦娥二号"的成功，这是我们第一次使用核同位素发热。

"嫦娥三号"在工程上重大的体现就是我们能够落月球！我们发展研究了自己的着陆腿，大家注意到没有，每条腿上还穿了一只"大鞋子"，因为它要保持四条腿倾斜下来的时候高度一样，我们设置为在月球范围倾斜20度都能正常工作。

今天，我们的月球车已经在月球上开出了一段距离，将来还要开得更远。现在设置的月球车可以走10公里，通过它和着陆器上装备的科学载荷，比如着陆器上的地形地貌相机，可以获取地形地貌图。

巡视器既可以由地面控制，也可以自己监控，避开障碍物，我们现在设置的是20厘米的石头可以爬过去，10厘米的坑可以跨过去，我们还在上面装了一个天文望远镜，月球上看太空是非常清楚的，一个小小的望远镜就可以看很远，我们已经拿这个望远镜看到了我们肉眼看不到的情形。

我们还开了一台X谱仪设备，过去"嫦娥一号""嫦娥二号"都有X谱仪，这次我们是一边走一边就能发射到地面，这样我们就能够对月球有一个更加清楚的认识。

总而言之，"嫦娥三号"表现非常良好，但是这个成功来之

不易。举几个小例子，为了知道什么情况下能够降落得稳，我们做了200多次降落实验，我们专门在北京郊区建了一个大架子，我把它称为北京南郊的埃菲尔铁塔，高80米，长100米，宽100米，是个方架子，我们要把着陆器用驱动系统吊起来，产生5/6的拉力拉住它。不点火的实验做了很多次，发动器的实验也做了很多次，我们放心了。

为了让月球车在月面上走起来，我们在航天城建了一个很大的月球场，我们在长白山上运了很多火山灰，模拟月球环境让它在上面走。我们在全球各地进行考察，最后在离敦煌很远的地方找到一个野外模拟点，发现那个地方跟虹湾很相似。我们在那修了4个大玻璃房子，4个水池，5台发电机，90个实验队员在大沙漠里面干了一个月，就为了月球上看到这么一个走的动作。

正是因为这样严格的态度，才有了今天这样的成绩。

我们的"嫦娥五号"由着陆器、上升器、轨道器、返回器组成，4个器加起来很重，要用新研制的"长征五号"在新建的海南发射场发射。

"嫦娥五号"的着陆器有一个机械手会在月球表面抓东西，还有一个机械手会打窟窿，能在月球上打2米深的窟窿，它们把东西抓住，然后再装到容器里面。这个容器一定要做

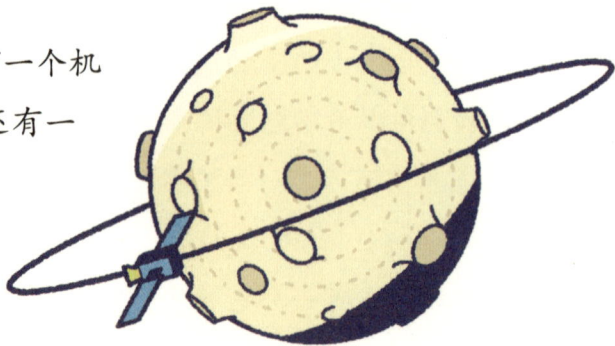

好，当年阿波罗在月球已经发现有水，但它不敢公布，因为它没有做容器，因为它搞不清楚是什么样的水。接着，机器手把容器转移到着陆器的上升器里面去，然后上升器要在月面上起飞。采样、封装，上升器从月球发动点火起飞，这些对于我们国家来说都是第一次尝试。上升器带着样品起飞后进入月球轨道，然后轨道器和返回器的组合体就会去追它。三个交汇在一起后，把上升器里面的样品转回到转移器，然后把上升器扔掉；轨道器和返回器绕过月球返回地球。

如果我们到达月球，返回到离地球大约5000公里的地方就需要调整。返回器返回地球我们没干过，这么高速返回，而且种种原因，主降落场还是要降到中国的大陆上，不能降到海上。

再则，因为月球的经度、纬度以及飞船什么时间起飞、它的落脚点，这些是不一样的，所以解决"嫦娥"返回有很大的挑战，这次的返回会有一个很大的创新。

过去神舟飞船都是直接返回，这一次为了解决"嫦娥"落点的问题和解决再入角以调整冲击力的问题，我们决定这么干：返回器与轨道器分离，进入大气层以后不直接回来，到离地60公里时，就不继续走了，再跳回到宇宙当中去，也就是再跳回大气层里，然后再回来。

通过这个办法，可以拉长返回时间，我们从中可以得到很多好处——减少发热、减少再入角等等，所以这种返回方式也将是我们的第一次实验。

返回以后，我们中国的科学家就可以得到我们自己获得的月球样品，研究使用这些样品。在月球上取得的样品将会提供给中国科学家自己使用。

当年美国人布热津斯基访问中国时曾经送过我们1克样品，我们把0.5克给了博物馆，0.5克给了中国月球探测工程首席科学家欧阳自远，他用这0.5克样品写了很多博士论文和发明。如果我们能自己取回月球样品，中国科学家对月球可以有更加充分的研究。这个愿望，我们预计在2017年实现。

为了保证这次试验的成功，我们要预先做一次试验。在"嫦娥五号"前面还要发射一个"小兄弟"，是它的试验器，发射到月球不落月。所以2017年大家会看到一个航天新的成果，我们叫"嫦娥五号"试验器。

"嫦娥五号"试验器绕过月球走一个自然返回的轨道，它的返回器和"嫦娥五号"的返回器一模一样，要验证这个返回器能不能返回，能不能落到该落的地方，这样才能够增加工程的可靠性。

中国的航天事业能获得这么大的成就有三个原因，第一是因为这项工作得到了国家的支持，第二是全国人民支持，第三是中国航天人付出了很多。我们希望在不久的将来，中国人能够登上月球，不断探测其他星球。

4 发展循环经济，建设美丽中国

刘焕彬

华南理工大学教授、俄罗斯工程院外籍院士。

长期从事高等学校教学、科研和管理工作，1995年至2003年曾任华南理工大学校长；在制浆造纸过程数学模型与计算机模拟、软测量与自动控制、清洁生产与节能优化等学科方向的科学研究和技术开发中取得了突破性进展和代表性创新成果，发表论文330多篇，著作5本，授权发明专利21项，授权实用新型专利28项，获国家级奖励3项、省部级奖励8项，2004年荣获俄罗斯国家工程学突出贡献伊万·古里宾勋章，2013年荣获首届"叶剑英奖"。

1986年至1987年赴美进修，受聘为美国爱达荷大学客座教授和加拿大高技术应用公司客座研究员；2000年当选为俄罗斯圣彼得堡工程院外籍院士，2001年当选为俄罗斯工程院外籍院士。

从循环经济来说，其实生活垃圾是城市的富矿，是个宝贝，要把它用起来。

发展循环经济的背景

循环经济已经作为国家层面的战略来考虑。党的十八大确定了党的科学发展观，同时把生态文明建设放在突出地位，努力建设美丽中国，实现中华民族永续发展。要践行科学发展观，推进绿色发展、循环发展，这是抓手。所以我们今天讲循环经济、循环发展还是非常有现实意义的。

2013年9月30日，中央政治局审议并同意印发《科学发展观学习纲要》，作为全党要学习的大事情，学习践行科学发展观，把它贯彻到现代化建设的全过程中去，把智慧和力量凝聚到全面实现小康社会和实现中华民族的伟大复兴上。

广州市政府于2013年5月20日发布了《循环经济发展规划（2012—2020）》。这个规划谈到的目标是广州市到2020年每万元GDP能耗降低至0.4吨标煤，较目前减少约30%；用水量减少约25%；生活垃圾回收率从目前的23%上升至50%。工业循环经济发展规模力争到2015年，把全市纳入千家清洁生产行业方案的企业，清洁生产审核通过率超过90%。然后要建设20个有代表性和不同发展特色的循环经济重点示范园区。

广州市人民政府办公厅于2013年8月28日印发了《关于推动"城市矿产"开发利用的若干意见》，提出广州市建立起布局合理、网络完善、技术先进、分拣处理良好、管理规范的"城市矿产"回收利用体系，要求各类主要城市固体废弃物回收率达到70%，无害化处理率达到100%，实现"城市矿产"开发利用的良性循环发展。

发展循环经济的目的——美丽中国与科学发展

美丽中国的内涵包括四个方面：①经济要发展，②生活要富裕，③生态要良好，④还要能永远这样发展下去，不要把子孙后代的资源都吃掉用掉喝掉了。

美丽中国全面实现小康社会的目标：一是国民生产总值（GDP）到2020年比2000年翻两番；二是社会秩序良好，人民安居乐业；三是全民族的素质明显提高，促进人与自然的和谐；四是推动社会走上生产发展、生活富裕、生态良好的文明发展道路。

我国的基本国情

现在我们国家离美丽中国的目标有多远？我们现在所做的与科学发展观的要求有什么差距？我们的生态现状还存在什么问题？为什么会存在这些问题？

首先，人口众多、资源相对匮乏、环境承载能力弱是中国的基本国情。能源稀缺是我国经济社会发展的软肋。现在经济发展、社会发展，要生活富裕，没有能源是不可想象的。但是我们的能源非常稀缺，淡水、耕地紧缺是面临的巨大问题。

其次，经过三十多年改革开放，我国经济社会发展取得了举世瞩目的成就，但是我们在资源和环境方面也付出了巨大的代价。我们现在经济的增长方式是粗放式的，资源消耗高，浪费大，污染严重。

再次，我们现在的环境比较严峻。

57

《中国环境保护白皮书》说："中国是世界上人口最多的发展中国家。20世纪70年代末以来，随着中国经济持续快速发展，发达国家上百年工业化过程中分阶段出现的环境问题在中国集中出现，环境与发展的矛盾日益突出。资源相对短缺、生态环境脆弱、环境容量不足，逐渐成为中国发展中的重大问题。"我们现在发展的瓶颈都在这段话里体现出来了。

第一是人口负担重。我们的人口占全球1/5，人口密度从1949年每平方公里56人上升到现在127人，每年新增GDP中约22%的比重被新增的人口消费所抵消。

第二是人均资源缺乏。我国人均资源拥有量与世界人均值相比，耕地占40%，水资源占25%，煤占55.4%，石油占11.1%，天然气占4.1%，这些人均资源都远远低于世界平均水平。

第三是地理环境先天不足。我们国家的地理状况大概是：有45%比较好，其他55%的国土是不适宜人类生活的，要么就是大山，要么就是沙漠。全国人均耕地仅为1.4亩，是世界平均水平的40%。

第四是水资源贫乏。我国人均水资源拥有量仅为世界平均水平的25%。我国是全球13个人均水资源最贫乏的国家之一。在全国600多个城市中，有400多个城市供水不足。广东人均水资源拥有量仅接近全国平均水平。

第五是能源紧缺。20世纪80年代我们还有石油出口，但是1991年以后我们开始进口石油，1995年我们的进口量是7.6%，随着经济社会的发展，石油的对外依存度越来越高，到了2009年超过53%。

英国报纸公布了一组数据：2013年9月，中国已经超过美国成为世界上最大石油进口国，中国石油需求每天有1100多万桶（约158万吨）；每天进口石油量有630多万桶（约90万吨），对外依存度为57%。美国的进口石油现在为什么基本上平稳，而且还呈下降趋势，是因为美国过去的石油很多，但是它长期封存不用，现在它主要是靠进口中东石油，为了减少对中东的依赖，所以美国国内石油的产量在增加。

为什么我们要进口那么多石油呢？一是我们的经济发展很快，国际能源组织预测到2030年中国的石油对外依存度将达到80%。我们国家的原油产量不多，现在有钱还不一定能买得到石油。石油价格飙升，世界能源价格将长期维持高位震荡。20世纪70年代初，石油的价格大概是1.8美元一桶，到现在大概是100美元一桶。在20世纪40年代至80年代期间，西方发达国家利用低价能源来实现工业化，可是我们国家现在不具备这样的条件。

59

我国的生态现状

1. 环境严重污染，生态平衡破坏

据我们国家统计，全国1/3城市人口生活在严重污染的空气中，二氧化硫排放量已超过环境容量的81%，酸雨面积占全国面积的40%，灰霾天气遍布全国各大中城市，全球20个空气严重污染城市，我国占16个。

全国近一半城镇饮用水源地水质不符合标准。广东占全国不足2%的土地面积，但承载着全国5%的工业废气和12%的废水总量，生态平衡受到的威胁更为严重。《羊城晚报》有一篇文章做了统计："垃圾填埋导致城市之外已无净土，全国有1/3以上城市被垃圾包围，1/4的城市已没有合适场所堆放垃圾；日处理垃圾量广州为1.4万吨、深圳为1.4万吨、北京为1.8万吨、上海为2万吨；垃圾资源回收率低，广州为35%、深圳为21%。"所以，这方面的问题很严重。

环境问题引起的健康问题越来越突出。国际癌症研究机构指出，大气污染对人类致癌。大气污染被列为第一类致癌物。中科院的调查结论是：75%的慢性病都与污染有关。2011年发布了一个信息：污染致珠三角九市新生儿缺陷率高达2.8%，这个现象非常可怕，比全国平均水平高出50%。污染已经对我们下一代产生了非常大的影响。

环境问题还造成了经济的巨大损失。由于人类大量使用化石

燃料，其排放出的二氧化碳等温室气体对辐射的选择性和吸收特性是气候变化的一个重要原因。

2. 消耗高、污染重的关键原因是传统工业经济的发展

现在我们的工业发展还是以传统工业为主。传统工业经济的主要特征是线性经济。我们人类从自然界取得能源，然后在工厂生产，生产的废气排放到自然环境中，能源不断被消耗，这就是传统工业社会的特点。线性经济带来社会财富增长的同时，自然资源消耗和污染也在同步增长。近三十多年，我们的经济高速发展，资源也越来越少，污染越来越严重。

从上面的分析来看，沿袭传统的发展模式，我国资源将难以为继，环境将不堪重负，社会经济也难以持续发展。所以，我们一定要转变发展模式。

发展模式的转变：线性经济与循环经济

线性经济发展模式面临着三大问题。一是资源和能源难以为继。因为不断跟自然界索取资源，人口越来越多，要求越来越高，消耗的东西越来越多，资源又那么少；二是环境不堪重负。人们往自然界排放那么多有毒有污染的东西，自然界承受不了；三是社会经济难以永续发展，美丽中国也难以建设。

在科学发展观指导下转变发展模式，并且一定要走这条路。首先是发展模式的转变：一是从工业文明向生态文明转变，二是从线性经济向循环经济转变。其次是社会文明的转变，要把三百年来的工业文明转变为生态文明。

恩格斯在自然辩证法里面对工业文明有一个很精辟的论述，即人类通过对自然的征服来成就工业文明，并且取得了很大的辉煌。人类在取得辉煌的同时，这种征服也给人类带来了史无前例的生态危机，人类受到了自然界的无情报复。现在我们喝不上干净的水，呼吸不上新鲜的空气，吃不上干净的食品，就是自然界对人类的报复，是工业文明的后果。

我们想象的生态文明是促进人与自然和谐，推动自然社会走上生产发展、生活富裕、生态良好的文明发展道路。当然这需要时间。工业文明经历了几百年，当然生态文明也需要时间来建设。

经济发展模式的转变，就是由线性经济转变为循环经济。循环经济是把过去所谓"废物"的东西循环利用。我们要减少资源和能源的消耗，尽量少用能源和资源生产产品，在生产过程中资源能再利用，不要一次用完。消费使用后的产品能够再利用，一是在生产系统的过程中循环，二是消费以后的循环。通过这个循环减少资源消耗，减少污染物的排放。这是循环经济的架构设计。

循环经济：实施原则与案例

63

循环经济是按照生态规律运行、实行资源循环利用和清洁生产的经济形态。循环经济是一种经济形态，不是技术，其目标是高效率地利用资源，低污染环境。循环经济有三个特点：一是按照生态规律来运行；二是提高资源利用率，减少对环境的污染；三是循环经济属于生态经济中一个最重要的组成部分。

在自然生态系统中物质是不断循环的，因而是可持续发展的。

生产者（绿色植物）生产的产品提供给初级消费者（食草动物）、次级消费者（食肉动物、人类）、人排出来的废物、其他动物排出来的废物、植物生下来的废物，通过土壤里的微生物分解变成肥料，又回到了生产者中去。这就是一个生态循环，也是一个自然规律。

由于自然生态中物质是不断循环的，所以几万年来它一直在发展。我们希望工业体系也能这样，在一个循环体系里，建立一个可持续发展的体系。

日本在循环经济方面做得比较好，日本提出了3R原则，即减量化（reducing），再利用（reusing）和再循环（recycling）。减量化是减少进入生产和消费过程的资源，再利用是多方式多次利用资源，资源化是把废物变为资源。美国提出了4R，多了一个再制造（regeneration），就是一些比较旧的机器通过正常维修以后变成好的东西。

3R是每个企业都可以做到的。一是企业层面要搞清洁生产。二是区域层面要形成企业间的工业代谢和共生关系，A工厂的废物可以变为B工厂的原材料，B代谢A的废物，它们两个是共生的；B工厂的废物作为C工厂的原材料，C工厂的废物由A工厂代谢，这是最理想的共生代谢。把产业的共生代谢链联系起来，就能实现循环经济。三是社会层面，通过废旧物资的再生利用，实现消费过程

64

减量化
reducing

再利用
reusing

再循环
recycling

中和消费过程后物质和能源的循环。

案例分享

1. 造纸业

造纸，先是把木头砍了，加上化学用品，通过蒸煮的办法制浆，这个过程中要消耗能源，要用水。传统造纸工业造每吨纸约要3立方木材（砍伐3亩树林）、150立方米水和1.5吨的标煤。然后把产生的废液和污染物排到自然环境中，造成严重污染。

循环经济的做法是：

第一，废物不要排到江河里，而是把它回收；化学药品也回收。实现能源和化学药品再利用循环，以此减少污染。

第二，水的再循环利用。

第三，废纸回收。

现在的制浆造纸生产过程基本上是实现了循环经济的理念。

广州造纸厂每年纸产量由1997年17万吨提高到2007年40万吨。每吨纸耗水量由140多吨降至20吨，水重复利用率达到85%，每年节约水量5000万吨。水节约了以后，污水的排放也少了，污染自然也少了。过去造纸要砍很多树，现在利用废纸制浆技术，废纸利用率达到100%，减少木材消耗100多万立方一年，相当每年少砍伐3万公顷林木。并且每年能节能30%，减少二氧化碳排放10万吨。这是一个环境效益跟经济效益都非常好的案例。

2. 农业

国家说农业的污染不亚于工业。比如说淮河治清，当时淮河的污染除了工业以外，还有农业，一个村就有好几个造纸厂，废水排放很多。为了治理淮河，减少污染。在关停一些乡村小纸厂之后，山东鲁西农牧发展集团公司就想了一个很好的办法：首先恢复农业生产，栽种粮食，然后用它的副产品秸秆养牛；牛肉可以进行牛肉加工，牛粪可以用来发沼气，沼气出来的沼渣可以用来种蘑菇，后面还有很多的副产品。山东鲁西农牧发展集团公司2004年出栏黄牛1.5万头，综合产值3.8亿元，利税2600万元，效益非常好。

循环经济是一种新型的、先进的经济形态，是集经济、技术和社会于一体的系统工程。不是哪一个部门、哪一个行业能解决的，要大家共同来解决，所以要政府推动、市场导向、公民参与。发展循环经济需要三大支撑：一是经济支撑；二是机制政策和法律的支撑；三是绿色文化的支撑。

近几年来，政府在这方面很重视，力求建立节约型政府，力戒奢华，提倡节俭。通过立法，促进循环经济发展。

日本在这方面做得很好：首先是政府重视，制定了一系列法律。比如日本的《容器和包装回收利用法》《家用电器回收利用法》《建筑及材料回收利用法》《食品回收利用法》《汽车回收利用法》。日本不单是回收，而且在采购时就要求一定要买循环经济的产品。比如在日本北九州市，家庭垃圾分类的法律非常细，每一

政策和法律

经济

绿色文化

循环经济

政府

企业

公民

类垃圾应该怎么分类，要放到什么地方再使用，都非常详细。日本的措施是"谁生产消费谁回收利用"，所以他们的回收利用率很高。

日本的进口资源占了43.5%，国内资源占44.3%，循环利用资源占12.2%。日本自己的资源不用，都在外面进口，我去日本看过，他们的树都是很高很漂亮的。日本的减量化占12.7%，废物利用占10.3%，最终处理废物仅占1.7%，这是很不容易的。日本进行循环经济以后，节约资源共占35.2%。这是日本给我们提供的一个总的数据。

现在我们的基本法也有了，也在不断立法，但是还没有那么具体。

企业要做负责任的企业，这个就不用多说了，大家都知道的。

公民积极参与。加强我们国家的国民教育。中小学、大学生、公民，这方面的教育都要加强。

现在，垃圾围城已经成为世界性的问题。这方面国内外已有成熟的技术和经验。

生活垃圾处理的技术路线：减量化、资源化、无害化。所谓减量化就是尽可能少产生垃圾；资源化就是尽可能进行回收利用，其中，尽可能对可生物降解的有机物进行堆肥处理或厌氧消化处理，制成有机肥料，利用能源。还有，尽可能对可燃物进行焚烧处理，并余热利用。

生活垃圾的处理

1. 国内外生活垃圾处理的现状

中国的城市生活垃圾处理还处于由堆放到处理的发展阶段，垃圾堆放现象普遍存在，"中国的垃圾仅约2%被回收利用，28%的垃圾是堆放处理，实际上在这堆放的垃圾里，近八成的垃圾都未处理，现在北京、上海和深圳都找不到地方来堆放垃圾。

美国回收利用32%，焚烧12%，填埋55%；日本做得最好，回收利用18%，焚烧76%，填埋4%；德国也做得比较好，德国基本上是回收利用跟焚烧，填埋只有2%左右；我们国家的回收利用只有2%，焚烧12%，填埋57%，还有28%是堆放。

现在城市生活垃圾的处理成了心腹之患。我国城市生活垃圾处理还处于由堆放到处理的发展阶段，垃圾处理场的二次污染相当普遍。

2. 生活垃圾的分类与收集是难点

要做好家庭生活垃圾分类，我们有管理上的问题，也有观念上的问题。现有的收集运输模式应该怎么办，怎么来计量收费，怎么来约束，怎么来使大家自觉参与，政府在这方面还有大量的工作要做，我们每个人也都有义务来做这件事。

广州市政府现在正在加大力度宣传，每家每户都发了垃圾分类知识本，在国外是四个垃圾筒，我们只有一个筒，厨房那么小，怎么放这么多垃圾筒，还有很多现实问题要解决。

3. 垃圾焚烧是必由之路

政府现在也遇到很大困难，哪里建焚烧厂哪里就反对，建设满足健康与环保的要求现代化处理厂，让周围居民接受，是当前最大的难点。垃圾焚烧厂选址难，难在人们对"二噁英"的恐惧，大家觉得一烧出来都是毒气。

国外也有这样的经历。比如日本，也有过由反对到支持的过程。1971年日本东京就有过一次"垃圾战争"，民众反对政府建垃圾焚烧厂。现在日本垃圾焚烧厂可以说是星罗棋布，基本每一个区都有垃圾焚烧厂，并且在最热闹的市中心也盖了垃圾焚烧厂。日本人也没有因为这样影响健康，反而促进了他们全民健康：日本现在是世界上最长寿的国家。

从循环经济来说，其实生活垃圾是城市的富矿。

美国生活垃圾焚烧平均产生电能为520千瓦时，利用每一吨垃圾焚烧后产生的能源，相当于一桶石油或者1/4吨煤炭。2007年美国87座垃圾焚烧发电厂，每天焚烧处理量约为9.5万吨，发电能力2500兆瓦，可以满足2300万个家庭用电，垃圾焚烧发电产值100亿美元，提供了超过6000个就业岗位，超过4亿美元年工资额。

日本2006年有293座生活垃圾焚烧发电厂，总装机容量1590兆瓦，当年共发电72亿千瓦时，相当于197万户居民的年用电量。

生活垃圾是个宝贝，要把它用起来。

美国环保局发布的报告指出："垃圾焚烧产生的电能与其他来源产生的电能相比，其对环境影响几乎是最小的"；其他发电厂大家都能够接受，垃圾焚烧发电厂也不会比其他发电厂对环境影响严重。

德国研究表明：生活垃圾经过焚烧后，向空气中排放的二噁英量只相当于原有含量的1%，99%在燃烧过程中烧掉了。德国垃圾焚烧厂二噁英排放水平变化：1970年的时候二噁英的含量还是比较高的，到了1990年二噁英含量已经大幅度下降，到了1996年基本上没有了。

现在，先进的生活垃圾焚烧技术和设备完全符合国际的环保要求。

建厂要规划好，尽量不要规划在群众比较多的地方。规划完成后，不要在附近又提供地给房地产商盖房子，否则问题就多了。比如原来政府已规划在那边建一个厂，房地产商拿到以后先把楼盖起来了，人住进去了你再盖，人家就有意见了。这个工作是需要各方支持的，所以我觉得解围之道还是这四句话：政府大力推动、各方通力合作、市场导向、公民积极参与。这样才能解决这个问题。

怎么行动

我们要建设美丽中国的目标就是生产发展、生活富裕、生态良好、永续发展。要实现这个目标，我们就一定要转变发展模式，要由线性经济向循环经济转变，要由工业文明向生态文明转变。

实施循环经济的3R原则，就是减量化、再利用、再循环，建立节约型社会。要办好这件事情需要全社会行动起来，政府推动、市场导向、企业行动、公民参与。

任何经济形态的转变都要有过程，一两年是不可想象的，不可能在很短的时间内就转变一个经济形态，但是任何事情都要启动和推动，比如工业化，人家一百年完成的阶段我们中国30年就完成了，所以我们这个经济形态的转变可能比别的国家还要快，我们国家的优势是政府推动、企业参与、公众行动，最后如果把市场导向加进来，循环经济会推动得更加顺利。

中华建筑的传承与创新

何镜堂

建筑学家，中国工程院院士。

现任华南理工大学建筑学院名誉院长、建筑设计研究院院长、教授，博士生导师，总建筑师。

长期从事建筑设计、教学和研究工作，创立"两观三性"建筑论，坚持中国特色创作道路，探索出"产学研"三结合发展模式，主持设计了2010年上海世博会中国馆、侵华日军南京大屠杀遇难同胞纪念馆扩建工程及胜利纪念馆等一大批在国内外有较大影响的优秀作品，获得多项国家级及省部级奖项，并发表上百篇学术论文。

我们的建筑应该以人为核心，注重人与自然的和谐共处，让每个人都能够平等地享受舒适的宜居环境。

快速城镇化下中国建筑的现状

我们国家经历了几十年快速城镇化的发展。三十多年来，我们的GDP平均每年都按10%左右的速度增长，每年国家都有20多亿平方米新建建筑，这相当于半个纽约那么大，我们的城市变化是相当惊人的。随着城市面貌的变化，高铁、航空、桥梁也发生了很大的变化，与此同时，也出现了一些千篇一律的城市。

粗放型的城镇化在给城市面貌带来巨大影响的同时，各种问题不断涌现，住房紧缺、交通拥挤、环境恶化、城市特色缺失等城市问题尤为突出。

那么，新型城镇化下的建筑应该是什么样的呢？

中国新型城镇化应该以节能环保、资源节约、生态宜居、城乡统筹、和谐发展为基本特征。讲究城乡互补、协调发展，同时注意传承自身文脉，彰显自身特色，避免千城一面。

我们的建筑应该以人为核心，统筹城乡发展，保护生态环境，让人与自然和谐共处，全面提升建筑质量，让市民能够平等地享受舒适的宜居环境。

我们的建筑应该有效地利用资源，环保低碳，走可持续发展的道路。

我们的建筑设计应该结合当今中国国情，传承优秀文化传统；应该充分利用时代发展新的科技成果、新技术、新材料、新工艺，同时也要应用本地适宜材料和技术，全面提升建筑质量。

76

新型城镇化中建筑设计创新的对策

第一，要以人为本，坚持建筑本源，回归建筑理性，拨正设计方向。一个好的设计从立意、构思到方案形成，都应当从人的需求出发，以满足人的使用为目的。以人为本、坚固、实用、美观，是建筑设计的永恒主题。

第二，建筑应该融入地区气候和环境，使建筑与人以及自然和谐共生。

世界上没有抽象的建筑，只有具体的建筑，而建筑总是扎根于具体的地区环境之中，受到所在地区的地理气候和自然环境所制约，受到具体用地以及周边地形、地貌的制约。在具体的建筑创作

实践中，我们应当顺应自然地形、地貌的特点，呼应地区的气候特征。比如说，广东地区冬暖夏热，建筑就必须解决好隔阳隔热的问题；在风沙严重的北方城市，建筑就要解决好防风防沙的问题。建筑设计应该从城市的整体角度把握方向，尊重建筑与人和自然的关系，使建筑与地区的气候和环境融为一体。

第三，在文化多元的大背景下，我们要加强文化自信，在传承的基础上创新。

当今国际建筑界各种理论思想流派众多，建筑呈现出多元化和跨文化发展的大趋势。我们中国建筑历史悠久，极具特色，应该有强大的文化自信。

如果建筑创作盲目追求形式主义和标新立异，常常处于全盘西化或模仿传统符号中，找不到正确方向和对策，造成"千城一面"，结果只能在全球化过程中逐步被边缘化。学习国外好的东西是应该的，但是我们必须结合中国的文化环境和条件。在学习国外先进设计理念和现代建筑技术的同时，扎根本土，创造具有中国特色和时代特色的新建筑。

说到传承，我们究竟应该传承什么？我们的老祖宗留下了"天人合一"的和谐观，中华民族之所以上下五千年生生不息，就是因为我们在发展的过程中做到厚德载物、和谐统一、顺应自然，这种价值观的核心就是和谐。建筑归根到底是为了满足人的需求而设计的，也是以人的使用体验作为检验这个建筑的标准。

说到创新，我们创新什么？——在传统文化的基础上创新。当前我们要特别重视生态与技术的进步，要体现建筑的节能、环保、低碳。

第四，城镇化过程要节能、环保、低碳，走绿色发展的道路。

中国过去数十年快速城镇化极大地改变了我们的生活环境，

同时，也带来了一系列"城市病"。建筑师在进行创作的过程中，应该加强对生态环境的保护，统筹集约和利用资源，从建筑设计到建造以及使用的全生命周期内，实现建筑的节能环保，开创一条集约、智能、绿色、低碳又紧密与当地环境和条件相结合的新型城镇化可持续发展的道路。

第五，努力探索中国特色建筑创作理论。

好的建筑创作必须有好的创作思想和理念，每个人从不同的角度、不同的着重点出发，会形成自己的创作思想。为了更好地传承与创新本土文化，同时也基于对建筑本体、融合环境、彰显文化和永续发展等多维度的综合考虑，我们总结出指导建筑设计的"两观三性"："两观"指建筑要树立整体观和可持续发展观；"三性"指建筑的设计要体现地域性、文化性、时代性的和谐统一。

传统、历史、社会、人文、环境、科技、经济、工艺、功能、场所、气候、美学等等，这些都是影响建筑的因素，每个人都可以从中提出自己的看法和意见。

"两观三性"传承了中华文化的核心思想，体现了"天人合

一""和而不同"的和谐统一观，是"天人合一"思想的现代表述，也反映了专业的独特属性。

我们都知道建筑这门科学是一种实验性的科学，建筑既具备逻辑思维的维度，同时也具备形象思维和文化思维的维度。建筑没有一百分，在众多因素的作用之下，建筑师需要从时间的延伸性和空间的整体性去把握、优选和整合，才能使其构成一个有机的整体。从地区的特点入手，探索建筑空间形态生成的依据，提升建筑文化的内涵和品质。

评价任何一个建筑的设计，都要看到它有共性的一面，也有个性的一面。比如电影院，不论是在广州，还是北京，或是在美国，要建电影院，首先要具备的功能就是看得清楚、听得清楚，如果这两个功能都解决不了，建筑外形好不好看都没有多大的意义。那么在这三个地方建电影院有什么不同呢？这就是它的特殊性，要结合当地的文化、气候、环境。如果从这方面找依据，城市就不会千篇一律。

设计最根本的思想是从文化的高度去理解现实，然后跟现代的科学技术、现代思想结合，实现地域、文化、时代的结合，这样就不会造成"千城一面"或者文化缺失。

建筑设计实践

第一个作品是2010年上海世博会中国馆"东方之冠"。

这是一个非常好的机会，也是一个很重的历史责任。因为这是第一次在中国举行世博会，而且中国馆必须代表中国的文化和精神。我们国家上下五千年的历史、56个民族，如何体现中国特色？最开始我们从中国文化的符号里，看中国的文字、京剧、山水画等等。

另外，中国馆必须体现我们国家正在走向富强、泱泱大国崛起、不卑不亢的形象。

我们还在中国传统的建筑、中国传统的园林城市中寻找灵感，像北京故宫、西安等都是九宫格的布局，我们的古建筑都是木头建筑，整个东方建筑体系都是这样的。西方则不同，他们大部分的重要建筑是石头做的。斗拱是我们中国建筑的传统造型，我从中得到了启发，然后再以现代的材料、现代的技术和现代的审美观点加以糅合，成为现在的"东方之冠"。

场馆盖起来后，大家评价还比较高。特别是老百姓非常赞成这个建筑，外国人也认为这代表了中国。有人看到"东方之冠"说，这个建筑像个斗冠，有人说像皇帝的冠帽，有人说像个大粮仓，重庆人说像个火锅，成都人说这像个打麻将的桌子，但是每个人都说这是中国的，这就好了。

我们当时定的颜色是中国红，现在看来这个颜色是很现代的，它的构成也是很现代的构成，最重要的是，它很中国。

它的屋顶是一个很大的花园，我们借鉴了圆明园"九州清宴"之景，一共9个岛，都是水围起来的，每个岛表现了我们祖国山河的特征。中国馆非常符合节能环保的要求，它冬暖夏凉，也符合现代科技节能环保低碳的要求。

第二个作品是侵华日军南京大屠杀遇难同胞纪念馆扩建工程。

再现南京大屠杀是必要的，这不是把人类引向互相屠杀，而是把人类引向和平，所以我们的主题是"战争—屠杀—和平"。我们设计一把刀一样的建筑，让人们进去感到震撼，然后让人们反思我们国家必须走向富强。整个建筑主题明确，地方的文化感也很强。

整个建筑的处理和雕塑的结合是非常清晰的。当时做这个"刀"有几个原因，最主要的是因为这块地本身就是这样的地形。

我们有意把这个建筑升到几十米高，人进到里面基本上看不到外面，形成一种场所感。进到里面，从每个人脸上的表情就能够看到，这个建筑能让人很自然地流露出情感，这就是建筑的魅力。

走出纪念馆，纪念墙脚下就是献花圈的地方。冥思厅就是让人沉思的地方，然后走到和平广场。

有评论说这个建筑像篇文章，有开头，有高潮，有结尾，就像一个故事一样。

第三个作品是映秀·震中纪念馆。

这也是一个灾难纪念馆，这是自然的灾难。由记忆到希望，建筑与山体融为一体，成为"大地的纪念"。里面有三个馆，馆与馆之间通过透光的园林作为过渡空间，看完一个馆要到一个园林，人跟大自然沟通，人跟空气、山体、阳光沟通，三个厅串起来，最后面向未来。这个建筑曾被评为全国一等奖。

第四个作品是天津博物馆。

天津博物馆取材于世纪之窗，从"窗口"上做文章。这是一个很大的建筑群，现在已经全部完工。0.9平方公里的文化中心，中间是博物馆，旁边是美术馆，美术馆旁边是图书馆。

天津有600多年的历史，洋务运动的时候，天津是西方文化传入中国的窗口，天津也是中国新一轮改革开放的窗口，所以用窗口做文章。

"六重门"象征600多年的历史，门是用铜做的，50多米宽、17米高的入口，后面是石头。

进入天津博物馆，我们建了一个时光隧道，宽30米，高14

米，从底下往上走，从低往高走，不断上升，历史不断沉淀。这个时光隧道采光非常好，不用开灯，进到里面也是非常雄伟的。接着就到了未来大厅，这里的窗也是铜做的，后面也是石头，采光非常好。

第五个作品是钱学森图书馆。

钱老是我们中国伟大的科学家，他一生为我国的航天事业做了卓越贡献，这既是钱学森的纪念馆，也是图书馆，位于上海华山路口。

钱老从美国回来后，在新疆从事原子弹的研究工作，之后还研究了氢弹——它们都是炸弹，钱老一生灿烂辉煌，所以我们用"石破天惊"来作为工程的出发点。

建筑上面是钱老的雕像，我们希望这个雕像跟建筑融在一起。通过像素化的外墙设计，五种不同的纹理组合起来，太阳照射下形成光的折射，很吸引人。盖起来之后，大家就可以看到钱老的雕像。评价说这个馆延伸了钱老的一贯创新精神，因为钱学森这个雕像就是一个创新。

接下来还有几个作品想要和大家分享。

澳门大学横琴新校区融合南欧和华南地区的建筑风格，凸显澳门作为中西文化交流平台之角色，打造富有独特魅力和风格的国际化校园。这个大学很有特色，学习、生活、教育都在一个组团内解决，所以非常方便。校园具有园林的格局，生态环境非常漂亮。

广州解放中路旧城改造项目（一期），首先需要解决的问题是交通。改造项目要求居民回迁时，每户分配60多平方米，我们能够做到每一户都是南北通透的，每个厨房、厕所都有窗户，还有创造了很多安静的地方让居民交流，促进邻里之间的关系。这个作品获得了"岭南特色建筑设计奖"金奖。

华南理工大学逸夫人文馆虽然不大，但是也非常好，整个建筑都跟环境融合在一起，充分体现了岭南建筑的特点。华南理工大学松花江路历史建筑更新改造——新岭南园韵。岭南大学当时有六栋小别墅，80年来，房子的木头都已经烂了，但是因历史建筑不能拆，所以这里变成了一个废墟。如何改造？我们的策略是对历史建筑进行保护、更新，赋以新的功能，与环境结合，创造新的岭南园林特色，让它成为舒适、创新的建筑。我们把原来传统建筑进行翻新，利用外形、材料改造，并把它改造成一个现代的岭南建筑。屋顶全部绿化，养了很多鱼，环境非常怡人。屋内打通空间，在原来建筑的基础上进行改造，这是一个非常好的岭南建筑创意。

85

岭南现代建筑创作

岭南，通常是指中国南方的五岭之南。它具有热带、亚热带季风海洋性气候特点。岭南建筑通常是指适应岭南气候、环境特征，而且富有岭南文化韵味的建筑。

岭南文化是岭南地区长期的历史发展过程中形成的一种地域文化，它有三个重要的来源，即固有的本土文化、南迁的中原文化以及舶来的域外文化，因而形成了适应、兼容、务实、求新的特点。

岭南建筑源远流长、兼容并蓄，扎根于本土文化，吸收了中原文化和西洋文化的特点，融合了本地的自然、气候、地理和民俗等因素，经过历代建筑匠师的劳动和悠久历史的沉淀，造就了一批具有岭南文化特色的村落、街区、建筑、园林和装饰艺术，形成独具特色的岭南建筑风格。

岭南建筑在布局上自然流畅、不拘一格。岭南建筑充分体现开敞空间，营造一种低碳、节能、绿色的生活环境，人可以从封闭环境走向自然；在功能上注重通风、遮阳、隔热、防潮，注重与周边气候环境、人文和生活习俗结合，强调经济适用；在风格上体现朴素、通透、淡雅、明快的特点；在打造工艺上因陋就简，因地制宜，就地取材。总体而言，岭南建筑突出体现了与自然的融合、与环境的适应、与不同文化的交融，是一种务实、求新的创作方向。

当前社会上有两种不正确的城市和建筑设计的倾向，一是盲目崇拜及模仿国外的某些建筑师，一味追求形式的奇特与怪诞；二是照搬传统的形式与建筑符号，制造假古董。

然而流行并非经典，对传统形式符号的模拟也不等于传承。我们一方面要融入世界发展，吸收先进的设计思想，不断开拓设计思路，提升设计能力，同时必须坚持立足本土，走中国特色的创作道路，从而将传承与创新结合起来。传统和创新是建筑界永恒的主题，也是我们建筑人一生所探索的。

20世纪50年代，一批早年留学欧美的岭南建筑师引入国外现代建筑理念，抵制"学苏"时期一度风靡的复古主义和形式主义，在建筑设计中，从功能出发，强调建筑与气候和环境的结合，因地制宜，讲究实用和经济，重视社会实践，反映了岭南建筑朴实、清新、与气候和自然环境和谐的特点。他们创作了一批亚热带特色鲜明、经济实用的岭南建筑，其中，尤以夏昌世教授设计的广州文化公园水产馆、鼎湖山教工休养所和中山医学院教学楼群为代表。广州文化公园水产馆在那个年代是一个非常有特色的现代建筑。

二十世纪六七十年代，岭南建筑师进一步弘扬了岭南建筑特点，把岭南园林融合于岭南建筑之中，在理论和实践上推进岭南建筑和岭南园林的同步发展，建造了友谊剧院、山庄旅社、矿泉宾馆和东方宾馆等一批引全国风气之先的岭南新建筑，在全国建筑界产生重大影响。

20世纪80年代，尤其是1992年邓小平同志南方谈话之后，迎来了建筑创作的繁荣局面。一大批中青年建筑师茁壮成长，建筑设计机构和组织形式也出现了多元发展的局面。

岭南建筑师在传承前辈优秀岭南文化的基础上，紧密与时代结合，不断在创作实践中探索，逐步形成较系统的岭南建筑创作学术思想。早期在岭南地区设计的白天鹅宾馆、西汉南越王墓博物馆，以及遍布全国的优秀作品，使岭南建筑思想研究和创作进入一个开拓创新的新阶段。

现在岭南建筑师也不局限在广东，相当多全国知名的工程都是岭南建筑师设计的。华南师范大学南海学院也是我们设计的，11

87

个月就落成。我们设计的南海会馆也是体现岭南特色的一个作品。

我们从岭南传统建筑的布局、园林、形态等方面提炼精华，然后用现代材料、现代技术把它做成建筑。

我们的设计参考了过去的结构，既传承传统的机理、精神、内涵，又利用现代材料、现代技术这体现了时代的发展。

我始终认为，传统建筑很好，但是不能照搬，我们既要理解传统的精神内涵又要注重将其延伸，与现代的材料技术、美学观点结合，形成一个既岭南又现代的建筑。

建筑是一个时代各因素的综合和反映，建筑又是一门多学科交叉的实用性科学，建筑设计的综合性需要群体的创造性工作去完成，培育和建立和谐的创新团队是建筑创作的基础。

深刻理解建筑的本质，维护建筑本体，树立正确的建筑创作观，是团队建设的灵魂。鉴于建筑的综合性、复杂性和多元性，树立正确的创作哲理和思维方法，能使我们在错综复杂的因素面前找到正确的方向和创新点。

我们要树立创新和精品意识，发挥"一家人"团结协作的精神，根据不同的环境和条件，建立行之有效的激励创新发展的运作机制。

6 智能电网是智慧城市的物理基础

李立浧

中国工程院院士。

长期从事电网技术研究和电网建设，在电网工程、直流输电和交直流并联电网运行技术领域做出了成绩和贡献。参加和组织建设了我国第一条330千伏交流输电工程、第一条500千伏交流输电工程、第一条±500千伏直流输电工程；参与和组织了我国第一条也是世界上第一条±800千伏直流输电工程的技术研究。他还是我国多条超高压交直流输电工程的技术负责人和工程负责人。获国家科技进步一等奖1项，二等奖1项，获省部级科技进步奖5项，专利8项。主持了多项国家"973""863"等重大科技项目。为推进我国电网技术发展，尤其是直流输电技术与交直流并联电网运行技术跨入国际先进行列做出了贡献。

现任中国南方电网公司专家委员会秘书长，华南理工大学教授、博士生导师、电力学院名誉院长。

智能电网可以有效支持清洁能源的发展，以更科学、更可控的方式实现节能减排的目标。

智慧城市的概念和内容

诺贝尔经济学奖得主斯蒂格里茨早在2000年就说了："影响21世纪人类文明进程的有两件大事：一件是以美国为首的新技术革命，另一件就是中国的城市化。"

事实上，中国城市化如果成功了，确是对世界文明史的一大贡献。21世纪是城市的时代。2007年，全球总人口50%以上都是城市人口。而我们中国到2010年，城市人口才达到50%。因为城市的经济发展对国家的经济贡献率是非常大的——超过70%，甚至达到80%。所以城市化对于一个国家的进步和发展至关重要。

在城市发展进程中，每一个城市都会遇到相同的问题：交通拥挤、住房困难、社会不安定因素较多、人口的聚集和拥挤、就业困难、大量的环境污染等"城市病"。

智慧城市的概念就是针对这些"城市病"而提出的治疗方案：借助新一代信息技术，将市民、商业、运输、通信、水和能源等进行整合，以新的方式运行，进而创造更美好的人类生活。

如果给智慧城市简单下一个定义，智慧城市就是以"发展更科学、管理更高效、生活更美好"为目标，以信息和通信技术为支撑，通过透明、充分的信息获取，广泛、安全的信息传递，有效、科学的信息处理，提高城市运行和管理效率，改善城市公共服务水平，形成低碳城市生活圈，从而构建城市发展的新形态。

所以关于智慧城市有两个说法：

①网络城市，物联网是智慧城市的重要标准。

②数字城市+物联网＝智慧城市。

先是无线网络的无线城市，然后是数字化的数字城市，再到智能城市、智慧城市，这是一步一步推进的。在智慧城市建设中，首先要使城市的关键基础设施组成和服务更智能、互联和有效。其中包括城市管理、教育、保健、公共安全、房地产、交通运输、公共事务等等。

建设智慧城市要加大对人力与社会资源、传统交通及现代信

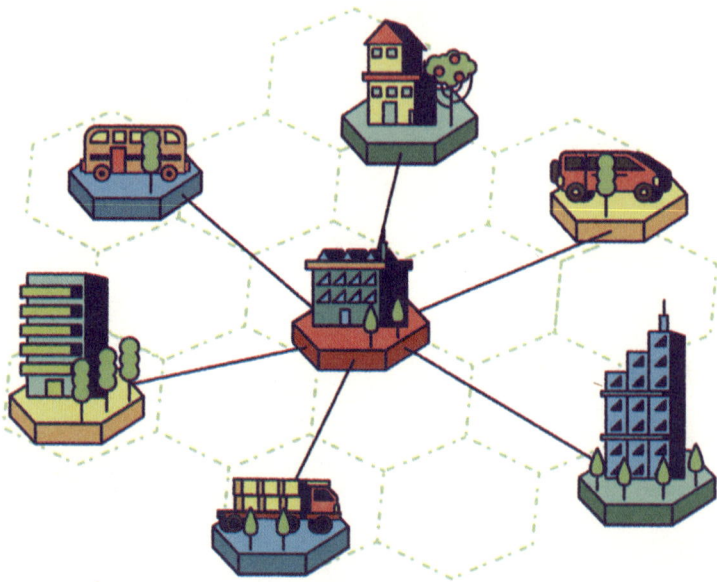

息通信技术设施的投资，促进经济的可持续发展，保证民生高质量生活状态；同时通过提供参与治理，实现对自然资源的有效管理。

要注重以人为本、民生为重的概念——人的需求和期望要充分地反映出来，这才是智慧城市的价值核心。

我们要利用信息通信技术来感知、分析、整合，并智能地响应在其管辖范围内市民关于环境、安全、城市服务、民生及当地产业的活动及需求，从而创建一个更美好的城市来生活、工作、休息及娱乐。

要建成智慧城市，必须做的是：对整个城市做到可测量、可监控、可分析。所有的服务、行为都能够通过数据，通过相应的信息进行定量分析，这就是可测量，从而能够进行可监控和可操作，体现智能化管理。

城市系统有完整的、整体的、综合的规划；城市间可以轻松地共享信息以及成功经验；不断创新，利用新科技、新技术来提高城市运作效率；市机关、企业、机构和个人全面协作，共同创造城市未来蓝图及实施方案，提高生活质量——这包括物质和精神上的需求和诉求。

现在我们讨论智慧城市，还是概念偏多，量化相应偏少。

智慧城市必须有一个可以评价的标准、一个量化的标准。人的诉求以及社会的发展通过量化标准不停地展示出来——包括环境、市民参与和治理、生活、移动性等等，覆盖各个领域。

智慧城市的基础，除了智慧电网，就是信息安全体系。信息化从技术和管理两方面为智慧城市提供安全保障。

93

城市的信息安全体系包括环境安全、系统安全、网络安全、数据与应用安全。

城市信息架构是多领域、多类别、多级系统构成的庞大系统，还有新老系统的配合使用、技术发展快速、外部链接关系多、内部结构复杂等问题。

信息系统经常要更新，但更新过程中，新老系统最好能够有机结合，融合起来，而不是重复原来的系统，这是信息架构建设过程中很重要的理念。

智慧城市标准体系目的是推进智慧城市相关产业的快速、健康发展。

智慧城市的服务主要包括智能交通、智慧农业、智慧物流、智能环保、数字医疗、智能电网、智能建筑等。

智慧城市是信息化与物联网的结合，物联网有一个很重要的就是射频标签（RFID），上海世博会的世博园里人员监控、人员进场这些都体现了智慧化。

智能电网是智慧城市的物理基础

智能电网作为智慧城市的主要组成部分，是智慧城市的物理基础和重要支撑。

智能电网可以实现大量分布式的介入，缓解能源枯竭问题和环保压力；保证大电网的安全稳定运行，少出事故，保证稳定；实现高可靠性、高质量的电力，避免停电。同时也希望电压不能太波动，不能忽高忽低；达到电力设备和资产高效利用；电力和设备的自身各项使用满足用户积极参与的互动需求。

智能电网的主要特征包括以下六个方面：

①清洁，即低碳，电能应是可再生的。

②互动，与客户的智能互动，实现能量流、信息流、资金流的流动。

③优质，与未来时代相适应的服务水平和质量，电力公司和用户都能很方便地查看电表。

④经济，支持全社会用电成本的优化，包括资产利率。

⑤自愈，这是智能电网非常重要的。所谓的自愈就是电网发生故障，用户感觉不到，电网能够自动恢复。

⑥安全，供电单位能够防御自然和人为的侵害。

95

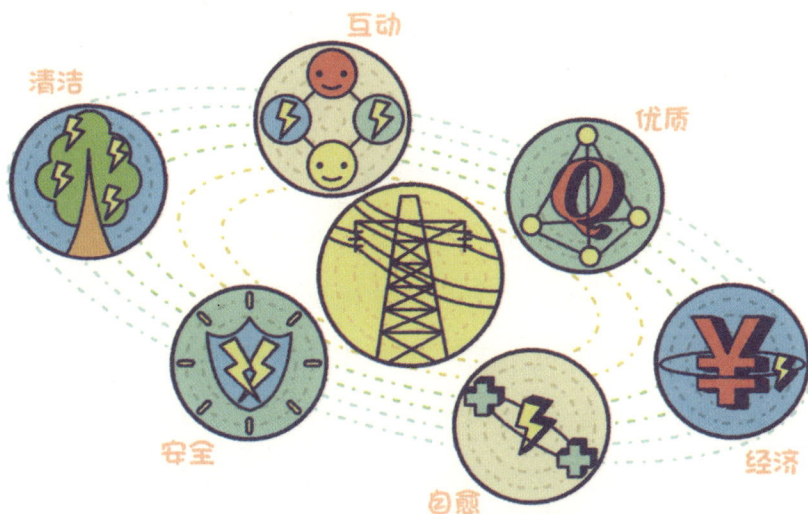

以往我们的电力企业供电是单方向的，今后用户可以自己装发动机发电，电用不完还可以出售，供电和用电可以进行互动，这就是智能电网的分布式接入。

丹麦家庭发电的比例很高。丹麦家庭发电设备占全部家庭的20%。这种模式应该是供电最可靠的模式。美国"8·14"大停电造成美国东部，包括纽约都一片漆黑。而丹麦，无论发生什么事故，只会出现局部停电，不可能造成大面积的停电。像丹麦这样的发电模式，我们就叫作高渗透率的分布式发电，这对于防止地方电网事故是最有效的。

再者，供电企业为了满足高峰期用电，通常需要安装大容量的变压器，但是大部分时间段，变压器的负载率都比较低。这就造成供电企业本身资产不能充分利用。而安装这些设备所产生的成本最终还是要由用电单位和个人来承担。

如果我们可以利用现代的通信技术，供需双方进入互动的用电模式，供电的效率就会更高。对于供电单位来说，他们可以通过阶梯电价的方式，降低电力高峰负荷。例如，我想洗衣服，在用电高峰——上午10点到4点，开洗衣机就要多付电费。晚上9点钟，已经是负荷的低谷，再来用电，电价就比较便宜。

2003年7月美国能源部发布的数据显示，美国的平均负荷率大约为55%，这就意味着电力系统资产平均有一半时间是闲置的。平均负荷率每提高10%，就可以节约1000亿美元，那么提高到65%，甚至到75%，一年就是2000亿美元的收益。负荷率低实际上是让用户承担了管理不到位的后果。

我们国家负荷率30%。从另外的角度来说，资产利用率低下，供电可靠性就应该提高，但我们国家供电可靠性也不高。我们跟世界水平还有很大差距，所以中国搞智能电网势在必行。

智能电网一方面方便发电设备资产管理，提升设备资产的可靠性，同时可以有效支持清洁能源的发展，以更科学、更可控的方式实现节能减排的目标。

今年的水很多，就要多发水电，不发水电，水就流掉了。节约了煤，就是减少了二氧化碳的排放。这就是将智能电网应用在发电环节。

智能电网是一个现代的电力系统：它使用双向通信、高级传感器、自动化和分布式计算机来改善电力系统的灵活性、安全性、可靠性，以及提高人身和设备安全。

将来的智能电网与目前电网功能相比，有很大的优越性。

①激励用户方面——目前电价不透明，缺少实时定价，将来会提供充分的电价信息，实时定价，有许多方案和电价可供选择。

②提供发电/储能——目前中央发电占优，另有储能或可再生能源。将来有大量即插即用的分布式电源补充中央发电。

③满足电能质量需要——目前大家似乎不太关心电能质量。将来电能质量需保证，有各种各样的质量/价值方案可供选择。

④优化——目前很少考虑资产管理，将来电网的智能化同资产管理软件深度集成。

⑤自愈——目前大家更多地关注扰动发生时的资产保护。将来的重点是防止断电，减少影响。

⑥抵御攻击——目前的电网对恐怖袭击和自然灾害的抵御能力较弱，将来的电网具有快速恢复能力。

智能电网涉及的主要技术内容有4个：高级计量体系、高级配电运行、高级输电运行、高级资产管理。高级计量体系结构包括智能电表、通信网络、量测数据管理系统（MDMS）、用户户内网络（HAN）。高级计量体系基于开放式双向通信平台，结合用电计量技术，以一定的方式采集并管理电网数据，最终达到智能用电的目标。智能电表包括人工重要开关、液晶显示、红外通信的端口、局域网通信卡、用户户内网通信卡等，这是理想的智能电表。

智能电表能够自动即时读表，并且可以定时间隔计量；远程接通和断开；支持电力公司和电表件的双向通信，实现故障检测和报警；支持灵活的电价，如分时电价；可以远程设计和进行软件升级，与用户户内网络连接。

智能电表能够自动即时读表，定时间隔计量。智能电表可以记录双向间隔消费信息，以"小时"为单位记录信息，或是30分钟、15分钟、5分钟等都可以。计量数据的管理系统是从预测开始的——预测未来用户可能要用多少电，怎么用电，需要付多少钱，等等。

智能电网高级配电系统可以跟用户更密切，智能检测和报警使得配电系统的自愈成为可能，可极大地提高配电系统的运行可靠性和整个电网的抗干扰能力。这可以实现传统电力系统向多功能电力系统的转换。

电动汽车是未来的发展方向，我们国家也在讨论关于充电模式问题。电网企业希望采用换电模式给汽车充电，因为这样可以选一个时间回收电池并集中充电，规范管理。但是，电动汽车生产企业希望采用充电模式，把电池固定安装在汽车上，像发动机一样不拿出来，开车到充电点去充电，就像现在汽车到加油站加油一样。

现在世界上换电模式做得最好的是以色列，欧洲和美国都是充电模式。无论是哪一种模式，电网都必须能支持电动车的充电和换电，能够承受充换电的冲击，在这方面智能电网可以发挥作用。

智能电网是为智慧城市服务的，是一个基础设施。

智慧城市体现智能化、互联化、物联化，这"三化"有着共同的目标——透明开放、友好协作、高效便捷、和谐宜居、绿色环保。智能电网为这些目标提供可实现的保障。

智慧城市是低碳的——低碳就要考虑分布式电源，包括微网。这就要求从智能楼宇到智能家居的灵活互动。光纤入户之后，电力系统就可以实现四网融合——互联网、通信网、交通网和电力网。

广东的智能电网实践

2012年6月4日，国家电监会在北京发布2011年全国电力可靠性指标，揭晓"2011年供电可靠性金牌企业"20强名单，广东有6家供电局入选。

全国共有5家供电企业获评可靠性A级金牌企业，广东就有3

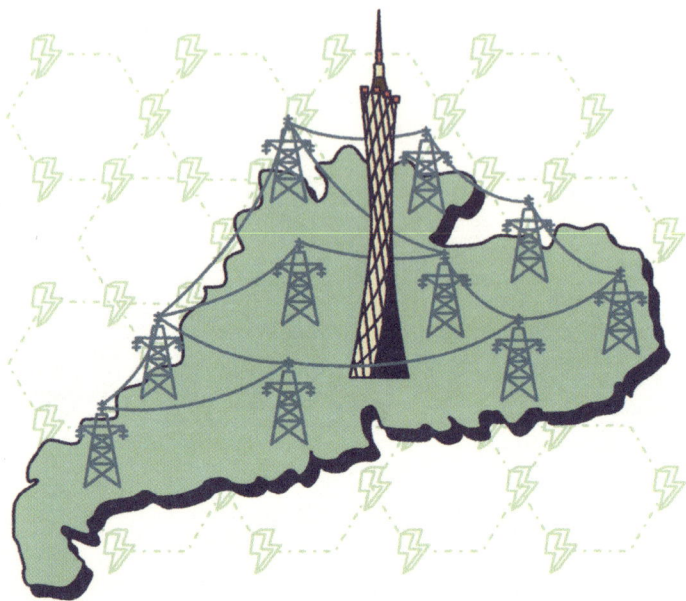

家——佛山供电局、广州供电局、中山供电局；其中，中山城市用户供电可靠性全国最高，达99%，停电时间0.66小时，为全国最少。

东莞供电局、珠海供电局、江门供电局获评为B级金牌企业。广东电网公司入选金牌企业，连续三年全国第一。广东电网公司城市用户年平均停电时间指标在全国省级电网公司的排名，由2008年的第八名提高到2011年的第一名。

广州智能电网建设现状

新能源发电入网示范工程：我国促进光伏发电产业技术进步和规模发展的"金太阳"示范工程，风、光、储联合示范工程正大力开展，新能源微网接入及控制研究较为深入。广州大学城试点太阳能发电项目列入国家"金太阳"示范工程，华南理工大学和中山大学是首批试点单位。

输电线路状态监测中心建设：华北、华东的部分省公司的线路监测中心建成投入试运行。广州供电局于2010年建成输电线路状态监测中心，开展视频、微气象等信号的实时采集。

智能变电站建设：220 kV鹿鸣站于2006年首次实现不同厂家设备基于IEC61850的互联互操作；110 kV三江、长洲站先后于2007年和2009年完成数字化改造，110 kV尖峰、云平变电站于2012年年底投运。 广州供电局启动"数字化变电站关键技术研究与应用"研

究项目，并结合220 kV鹿鸣站自动化系统改造和110 kV三江站数字化改造实施，对变电站自动化系统规约测试技术、IEC61850标准及其在变电站自动化系统的应用、变电站自动化系统设计、变电站程序化操作技术、数字化变电站的典型设计、建设模式及运行维护技术进行研究。

变电站高压设备状态监测中心：广州供电局建立具备多系统、多站点测试数据实时监控和分析功能的高压设备状态监测中心。建成了在全国电力系统内运行规模和技术水平方面处于领先地位的110～500 kV高压设备状态监测系统，可实时评估分析311个GIS间隔绝缘状态的局部放电在线监测系统，能同时对46台主机变电站开展绝缘油色谱和局部放电在线分析的变压器绝缘监测系统。

基于多点交换信息的广域保护系统：2007年中国南方电网公司开展广域保护系统研究。2008年4月开发的广域保护系统装置通过RTDS试验。2008年5月，在广州供电局220 kV田心、110 kV龙口、湖畔、凤凰变电站投入试运行。

智能电网调度技术支持系统建设：广州供电局于2005年按调度集控一体化思路建设OPEN3000和DF8003系统，两套系统互为备用。

配电自动化系统建设：广州供电局于2008年开始配网自动化试点项目建设。按照"三遥""两遥"模式建设电缆网配网自动化，按照关键节点带保护功能以及电压电流型的就地快速故障隔离模式开展架空馈线自动化建设。

准实时数据平台建设：2008年广州供电局开展准实时数据平台建设。基于PI实时数据库的准实时数据平台建立了以电网设备为核心，包含营、配、输在内，从380 V到500 kV的完整电网模型。通过此平台能够提供电网统一的模型服务、数据服务和图形服务。

用电信息采集系统试点工程：已接入约60万终端的广州地区计量自动化系统于2010年通过验收。广州亚运城电动汽车充电站于2010年投运。跑马场充换电站（体验中心）在2012年上半年投运，与政府合作，积极推动电动汽车产业发展及开展电动汽车充换电站建设。

广州中新知识城市电网建设：知识城规划区位于广州市东北部萝岗区九龙镇，总占地面积约123平方公里，规划人口54万人。知识城将建设成创新型国家战略布局的核心区，成为引领珠三角、广东省乃至中国产业转型升级、高端发展，特别是知识经济发展的新引擎。知识城智能电网综合示范区建设将遵循"能复制、能实行、能推广"的技术建设思路，在科学、合理的一次网架结构支持下，以采用智能化一、二次设备，先进的传感测量技术、计算机技术、信息技术、控制技术和通信技术，实现"电力流、信息流、业务流"的高度一体化融合，构建安全、可靠、优质、清洁、高效、互动的可持续能源供应体系和服务体系，包括智能变电、智能输电、智能配电、智能调度、智能通信、智能用电、智能信息系统建设。

智慧城市建设展望

我国已有近 100 个城市、城区或园区提出了智慧城市建设目标和行动方案，涵盖的领域范围遍及城市生活的方方面面。

北京2010年发布《智慧北京行动纲要》，以无线物联网和无线宽带专网建设为重点，推动物联网应用实践，实现城市管理智能化。上海智慧城市建设将重点实施云计算、物联网、TD-LTE、高端软件、集成电路、下一代网络、车联网、信息服务 8个专项，全面提升信息化整体水平。

104

从国内各地情况来看，智慧城市建设以云计算、4G 无线通信、物联网为依托，以拓展社会管理和服务信息化建设、提升城市信息化水平为重点，以实现"数字城市"向"智慧城市"转变为目标。

在国内许多智慧城市建设中，缺少像上海世博园这样将智能电网主动融入城市建设的典范，智能电网与智慧城市的契合与关联度不高，而一旦缺少智能电网这项典型性应用，将使得智慧城市建设缺少重要支撑和驱动力。

广州市政府很重视智慧城市建设，也很重视智能电网建设，做了很多工作，也做了很多设计。广州市政府有关职能部门，也在考虑智能电网建设的各个方面，希望广州智慧城市建设更高效，人们生活更美好。

7

太阳风暴与人类活动

魏奉思

中国科学院院士。

　　中科院空间科学与应用研究中心研究员、学术委员会副主任，致力于我国空间天气科学事业的开拓与发展，先后负责我国空间天气保障能力发展战略、空间科学学科发展战略和数字空间战略研究建议等工作。获得国家和中科院自然科学奖6项。先后任国际TIP、SOLTIP、CAWSES等委员会中国召集人，创建了世界第一个空间天气学实验室，提出了国家重大科学工程"子午工程"构想，历任总体组长、工作组长、科技委主任，国家基金委"八五""九五""十一五"重大基金项目主持人，曾任国家科技部"973计划"顾问组成员等。

　　现任国家基金委优先发展领域"日地空间环境与空间天气"学科指导与评估小组组长，山东大学、武汉大学兼职教授、澳门科技大学荣誉教授、中国科技大学赵九章大师讲座教授等。

空间天气科学是为人类进入空间时代保驾护航的科学；人类社会的发展将会越来越依赖空间技术的开发和利用。

空间灾害性天气事件

1989年3月的太阳风暴袭击地球，造成了空间灾害性天气事件。在那次事件中，加拿大的魁北克电站，停电了9个小时，600万人陷入冬夜的寒冷中。同时，美洲北部地区电力系统受到破坏和干扰，美国一个核电站的巨型变压器被烧毁，损失几千万美元。航天、通信也损失惨重——很多近地的卫星和同步轨道卫星发生异常，轨道改变、甚至报废。全球无线电通信受到干扰或中断；轮船、飞机的导航系统失灵，美国海军的4颗导航卫星提前一年停止服务；预警跟踪目标丢失六千多个；宇航员、高空飞机乘客受到超剂量辐射。这起事件震惊了国际社会。

事实上，这种空间灾害性天气事件，从统计上讲，几乎每年都会发生。比如2006年12月13日，大耀斑爆发对我国短波无线电通信造成严重影响，广州、海南、重庆短波段中断达3小时之久。2003年10月，太阳风暴事件造成全球的短波通信中断，导航、电力系统受损，我国的北方通信受到影响，日本的一些卫星也失效。我们国家卫星故障大概40%来自空间天气，这和美国宇航

107

局的统计是大致相当的。再比如说，我们的"风云一号"气象卫星、"亚太二号"通信卫星、"嫦娥"、"北斗"等等，都受到了一定影响，有的卫星甚至报废。

减少或避免空间灾害性天气可能造成的严重损失和破坏，成为我们面临的一个巨大挑战。

什么是空间天气

我们先谈空间环境，空间环境是指直接影响我们地球或人类

生存发展的环境。它广义上指太阳系，也就是太阳活动控制的空间范围；狭义上指直接影响我们地球的日地空间和近地空间。

地表以上二十公里至一百公里是临近空间，再往上千万公里是近地空间。对临近空间的研究最近十年发展非常迅速，国际上很多空间技术平台出现。美国人研制的飞行器在这个空间中，两个小时可以绕全球飞一圈。他们现在正在研究一个小时就可以绕地球一圈的飞行器。空间环境研究关系到空间安全、国家安全。

空间天气的主要驱动源来自太阳活动，也就是太阳的核心正在发生着的热核剧变反应。在太阳的表面，有我们肉眼可以看到的一些小黑点——太阳黑子。

109

太阳上巨大的能量物质突然释放，速度可以高达每秒2000公里。从太阳出来以后在到达地球之前还存在一个行星际的空间。

太阳或者宇宙高等带电离子被地球磁场俘获形成了辐射带，我们的通信卫星就在这个高度，因此通信卫星经常会被这种高能量的离子辐射影响。

再往下就到了地球的电离层和中高层大气。在一百公里左右开始，越往上温度越高，我们叫作热层。

地球的磁场是非常重要的。由于地球磁场的存在，它把来自太阳和宇宙的高能带电离子屏蔽掉，让它们沿着磁场往两极走，不直接攻击我们的大气。否则，地球就不会有生命。

空间环境不同于地球大气只有中性成分，它这里有中性成分、电离气体、带电粒子、等离子体。一个中性的分子被离化以后，带正电的和带负电的处于一个体系之中，它们就是等离子体。

空间环境具有我们地面的实验室无法模拟的很多特殊的环境——高真空、微重力、电磁场、高温、高辐射、多波动的物性等等。空间环境十分重要，它是我们的飞机、卫星、导弹的飞行环境；它也是我们的通信环境；更是保护我们地球能够生存发展的一个重要的生存环境、资源环境；也是看宇宙、看地球的一个宝贵的最佳观测环境。此外，它是我们的"天战"环境。进入高科技时代，高科技的战争，主要决定战争胜负的是空间技术系统，是由空间的实力来决定的。

空间环境包括两方面，一种是空间的气候，它是一种平缓、常常周期化的、时间尺度按月或年计的变化；还有一种，它是一种急剧的短时间突发性变化，称为空间天气，这跟我们地球的雷暴、台风、闪电是类似的。

空间天气的定义，指的是太阳上的太阳风、磁层、电离层热层中能影响空间、地面技术系统的运行和可靠性以及危害人类健康和生命的条件或状态。通俗地讲就是空间环境中会给我们的人类活动带来灾害的那些突发性的、短时间、高度动态易变的条件状态或事件，最典型的事件就是太阳风暴事件。

"空间天气"这个词诞生于1970年，是一个美国的科学家M.Dryer博士在《太阳活动观测和预报》一书的前言中提出的："作出准确的空间天气预报显然是需要有的。"

空间天气科学是一门以空间物理为学科基础，与太阳物理、

地球物理、大气物理、等体物理等学科交叉综合，与航天、航空技术、通信等多种工程技术紧密结合的新兴边缘性交叉科学。

它监测、研究、预报日地空间乃至太阳系中突发性的条件变化及其对天基、地基技术系统的影响，它是一门旨在探索空间天气变化奥秘、减轻或避免空间天气灾害、保障人类空间活动以及有效和平利用空间的新的科学领域。它关乎经济社会的发展，科技的进步和空间的安全。

空间天气的驱动源主要是两类。

一类是太阳的耀斑。耀斑是低日冕区局部区域中一种突然、大规模的磁场能量释放引起的闪亮现象。这个过程释放的能量相当于上百万颗氢弹同时爆炸，可供中国数十年消耗的能量。耀斑常产生X射线等辐射，8分钟左右可以到地球，对地球的通信常常带来重要影响，它同时也加速高能带电离子。

另一类是日冕物质抛射。日冕物质抛射形成的太阳风暴的规模十分宏大，非常壮观，它是太阳上的最大的抛射现象，也是对地球影响最大的太阳活动之一。它以数百公里每秒到两千多公里每秒的速度以太阳风暴的形成向外吹出。它可以把离子加速，影响航天员、航天器的安全，同时会对整个地球空间的状态、结构、过程产生重要的影响，常常带来严重的影响。

太阳风暴如何影响地球

太阳风暴最先到达地球的是电磁辐射，8分钟左右就到了；接着带电离子几小时到十几小时到地球，通信卫星会受到威胁；再就是日冕等离子物质抛射线到达地球。现在通常把这三种不同物质形态的能量输出都叫太阳风暴。

太阳风暴吹来以后，地球空间系统的磁场结构会发生一些急剧的变化，形成地球磁层爆、粒子爆、电离层骚扰、电离层爆和热层爆。

太阳带电粒子（太阳风）进入地球磁场，在地球南北两极附近地区的高空，夜间会出现灿烂的光辉，这就是极光。它虽然美丽，却是太阳正在给地球带来"麻烦"的一个象征。高能带电离子打进来以后，冲击工作中的航天器，导致工作异常，是航天器的"头号杀手"。

再就是对电离层骚扰。电离层中本来有大量自由电子存在，电波可以反射到很远的地方，实现全球通信。电离层突然骚扰时，原来通信的频率就被吸收掉，只有提升频率短波才能够继续通信。

一个普通太阳风暴吹过来，地球上几百公里高空的大气密度也可以上升20%以上，有的大太阳风暴可产生百分之几百的增长，会影响卫星的安全航行。太阳风暴有周期性。太阳活动有11年的周期性，空间天气的变化也有11年的周期性。

地球天气与空间天气的比较

①地球天气有暴风、暴雨、雷电等变化，空间天气有X射线爆、粒子爆、磁暴、电离层暴等。

②地球天气的范围是地表的低层大气，空间天气的范围是20~30千米以上到太阳大气层，甚至包括整个太阳系。

③地球天气研究的是中性流体，空间天气研究的是中性的、部分电离的和等离子体多种物质的状态。

④地球天气的起源主要是地表辐射、对流平衡。空间天气是太阳活动产生的电磁辐射、粒子辐射和物质抛射。

⑤地球天气的表现为局域性强，空间天气是全球性加局域性。

⑥地球观测有气球、火箭等等，尺度相对小一点。地球天气影响的是地表的生活生产和军事活动，空间天气影响的是航天、通信、导航、电力、资源考察、人类健康以及高科技战争。

地球天气变化和空间天气变化有没有关系？从长期变化来看，地表的平均温度、雷暴活动和空间天气变化一样都有11年的周期，这是因为它们都来自受到太阳活动的影响，但是短时间的空间

113

天气与地球之间的关系还是一个未知数。

空间天气对人类活动的影响

太阳活动对空间的卫星、宇航员、通信、电力系统、海底通信等都会产生影响。

根据统计，卫星故障大约40%与空间天气条件有关。比如1989年的太阳风暴，有40多颗卫星，几乎占了天上卫星的70%都出现了问题。我们国家的"风云一号""亚太二号"通信卫星等的失效都是因恶劣空间天气所致，电子器件的损失是空间天气最主要的一个表现方式。这些经验教训值得借鉴。

五十多年来，天上有过6000多个航天器，70%是用于军事目的的。在轨运行近1000颗，价值上千亿美元。其中美国与俄罗斯是最多的，未来十年全球也还将有上千颗商业卫星要升空，我们国家也有上百颗卫星要升空。可以说大部分频谱都受到空间天气的影响。

太阳耀斑活动给通信、广播、卫星、导航、测量等电子信息系统造成干扰和破坏，大的太阳耀斑活动伴随的X射线爆，强烈地骚扰短波通信，给各方面带来严重的影响。

电离层的闪烁影响了很多海上的工程，影响了目标的精确跟踪定位。例如渔民出去打鱼的话，遇到恶劣的气象条件，加上GPS定位不准，就会造成搜救工作的麻烦。这就是电离层闪烁造成的后果。

现代军事行动已经从传统的陆地、海洋和大气环境向上进入20~30公里以上乃至成百上千公里的空间环境。受到空间天气影响的军事系统主要有军事航天器及其星载电子设备、计算机、通信、指挥控制、导航系统、导弹系统等等。由于这些功能受到影响，导致了军事系统效能不能正常发挥，甚至受到破坏。中高层大气密度增加20%~40%，战略导弹的射程将减少20~40千米，就无法实现精确打击，所以这个影响是不可忽略的。

现在电子战是我们主要的作战方式之一。在沙漠风暴空隙行动开始前5个小时，多国部队开始对伊拉克军实施代号为"白雪"

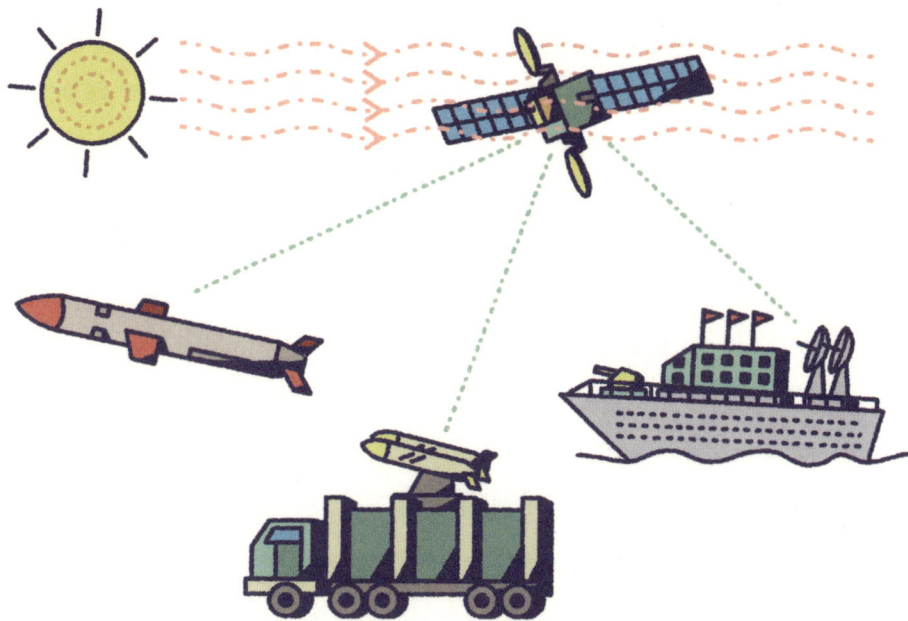

115

的电子战行动，从太空、空中、地面全方位对伊军雷达、侦查和通信系统发起猛烈的电子轰炸，使伊拉克军雷达迷盲。

军事卫星也是一个很重要的手段。在1991年的海湾战争中，多国部队动用74颗各类卫星。1999年科索沃战争中，北约部队动用50多颗侦查监视卫星。2000年阿富汗战争中，美英使用94颗各类卫星。

信息的优势非常明显。比如伊拉克战争，美军中央司令部总部设在佛罗里达州的坦帕，前线指挥中心设在卡塔尔的多哈，具有战术的精准指挥只要几分钟。美军方称空间天气影响高技术战争和军事行动的所有任务领域。

116

空间天气与经济、社会发展的关系

空间天气是为其他行业保驾护航的科学，社会的发展越来越依赖于空间的技术性。现代化国家的正常运行离不开空间天气的保障，我们国家现在已经认识到这一点。

空间天气关系到政府、军队、跨国公司、中小企业和个人诸多用户的多方面利益。我们可以思考：如何降低卫星运行成本；增加卫星可靠性和延长寿命；提高发射的可靠性，减少航天员的辐射暴露，以降低患癌症的风险；降低飞机安全的风险和机组人员的辐射暴露；改善全球导航卫星系统的精度和可靠性；更有效地使用HF和卫星无线电通信系统；降低地面电网中断的风险，以及提高飞船保险公司的竞争力。

各国对空间天气的重视

空间安全是国家安全的一个战略制高点。空间是没有国界的，所以没有空间安全就没有领土、领空和领海的安全。

在20世纪60年代，美国的卫星上天后，美国的政治家和军事家们非常迅速地认识到，谁拥有太空谁就拥有地球，未来作战的主要战场将主要集中在太空。2001年美国的国防部长说："应该发展向太空、从太空、在太空和通过太空作战的新军事力量"，"美国将提升太空作战能力列为今后的发展重点"。美国每一年都举行空间天气高层论坛。我国将来的空间天气研讨也应该把军方、技术部门等一起召集来开，因为空间天气与经济发展和高技术的发展紧密相关。美国的副国务卿专门讲了美国的电信、运输、供电、供水、天然气、石油储备、紧急救援、银行、金融业、以及政府的行业高度依赖卫星产出的数据等方面，要像保护其他关键资产那样保护太空的资产。

欧洲人非常关注空间天气与经济、社会发展的关系。他们加大了空间学科在大学课程中的分量，增加学生对基础科学和空间问题的认识。我们也应该逐步提高人们对科学、空间以及空间天气的认识，特别是认识到其对我们生活的影响。

空间天气的重要性得到了国际社会的普遍关注。联合国2009年起开始支持"国际空间天气起步计划"，协调全球的空间天气监测与研究等活动。世界气象组织2010年设立了"空间天气协

117

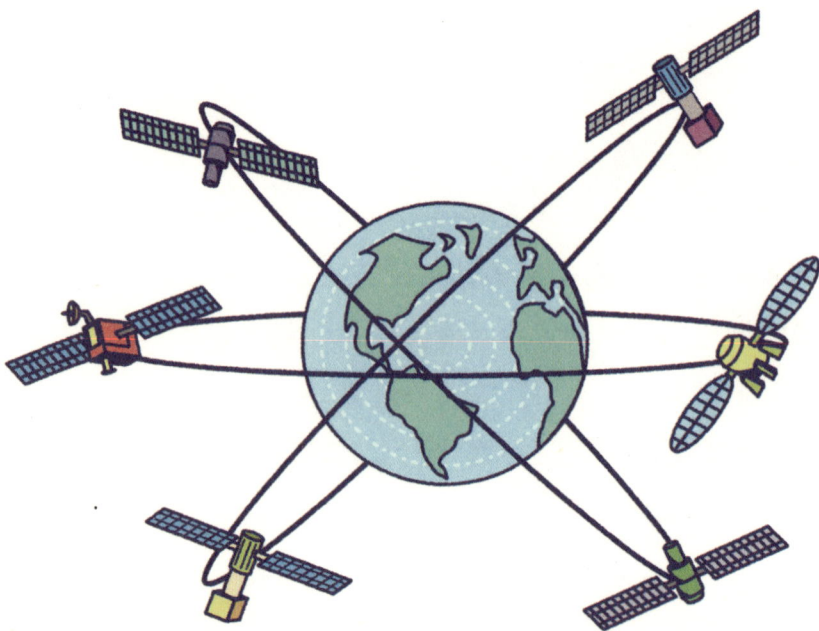

调组"。

众多技术发达国家自1995年美国之后相继制订空间天气起步计划。全球数十个国家联合组织、有数十颗卫星参加的由应用驱动、聚焦空间天气的"国际与太阳同在计划"已开始执行。欧洲航天局继实施空间天气计划之后，于2010年组织"空间态势认知"十年计划，空间天气是三大重要目标之一。

2004年，布什曾发布总统令——《探索精神的复兴：美国空间探索远景规划》，基本目标是通过空间计划推进美国的科学、安全和经济发展。美国宇航局战略计划中描述其目标之一"认识太阳及其对地球和太阳系的影响"时写道："人类的生命与太阳活动紧密相关，太阳的变化严重影响地球上生命的生存。太阳亮度的长期变化造成了冰川期；11年太阳活动周期造成的强耀斑和日冕物质抛射，影响地球，干扰通信和导航，威胁航天员的生命，毁坏卫星，造成电网故障。对太阳活动性及其对太阳系影响的研究将为非载人和载人的探索提供安全保障。对一个越来越依靠空间技术的社会而言，空间天气对人类的危害越来越明显，因此认识和降低空间天气对人类的危害效应迫在眉睫。"因此美国制订了很庞大的计划，为空间天气服务的有几十颗卫星，它自己还有专门的卫星系统。

美国政府早在2010年6月就批准制订新的第二个国家空间天气十年计划，对空间天气做出部署。美国减灾委把空间天气灾害纳入美国重大减灾挑战的十年计划。2011年春，奥巴马与英国首相卡梅伦会谈，其中包括空间天气研究与服务领域的合作，2011年秋正式实施。

空间天气是能影响人类全球经济的重要因素——美国白宫对空间天气越来越关注，奥巴马在2012年指示科技政策办公室和国家安全官员"积极主动推进空间天气减灾的努力"。美国航空航天局NASA发射由五颗卫星计划组成的"飞船空间天气站"，紧盯空间天气变化。

空间天气科学的发展态势已经成为一个国际科技活动的热点，很多国家已启动空间天气计划，全世界还组织了重大国际计划，即"与太阳同在计划"。随着人类空间活动的需求，空间天气的探测和研究范围逐步将日地空间天气和太阳—行星空间天气结合起来。

在未来，空间天气将惠及一切人、一切事。建设空间天气环境保障体系已经是技术发达国家竞争的一块战略高地。

中国的空间天气研究

我们越来越重视国家建设空间天气环境保障体系，和平利用空间也是将来一个重要的发展战略方向，也是我们国家经济社会发展一个新增量的地方。空间天气分为三大部分，即军用空间天气、基础空间天气、民用空间天气。

我们的总目标是进入世界先进国家行列，成为一个有空间天气知识和保障能力的国家。未来十年，我们的空间天气研究将进入国际先进国家之列。空间强国、跨越式发展、应对空间天气灾害、和平利用空间，这些都是国家的重大需求。

军用空间天气　　　　基础空间天气　　　　民用空间天气

我们提出的发展战略分三步走，首先是把近地空间建设好，再是地球空间，然后是日地系统。

超强空间风暴

超强空间风暴袭击地球不是一个预报，只是一个假设，它警示我们要提高应对准备。超强太阳风暴也可以发生在太阳活动水平不高的太阳活动周。有科学家们开始预测未来十年超强太阳风暴发生的概率大概是12%。从2010年开始，证实太阳活动开始加快地上升，2010年有7个速度超过千公里的，到2011年达到24个，太阳活动正快速增强。如果人类对将可能发生的太阳风暴准备不足，这种太空风暴有可能会切断人类社会的电力供应、手机信号，甚至包括供水系统。虽然最近的太阳活动比较频繁，但太阳现在处在相对稳定的时期。

太阳活动本身也是有着它的发生、发展、消亡的这么一个过程，和我们人一样，有生有死。我们地球的生产环境是十分脆弱的，如果太阳开始进入一个衰败时期的话，它放出的能量和物质还要大大地增加，太阳光要增强十倍、一百倍，离子辐射大大增强，等离子抛射也就大大增强，那我们地球也就真的要到末日了。

8

LED战略性
新兴产业发展

刘颂豪

中国科学院院士。

中国非常著名的从事光学、激光方面研究的科学家，国家首批博士生导师。20世纪80年代初创建我国第一个激光光谱学开放实验室，是我国第一位被选举为著名的激光光谱学会议执行委员会委员。曾获国家科委发明奖和中国科学院优秀奖，取得多项具有国际水平的科研成果，获国家、中国科学院和军队科技进步奖。1996年获广东省自然科学一等奖和高教厅科技进步一等奖，1998年获得广东省科技突出成果奖一等奖。其专著《光子学技术及应用》于2008年获第二届中华优秀出版物图书奖。

曾任中国科学院学院安徽光学精密机械研究所所长、中国科学院合肥分院副院长、华南师范大学校长、全国政协委员、中国科协委员、广东省科协副主席、中国光学学会常务理事、美国光学学会资深会员。现任华南师范大学信息光电子科技学院教授，华南先进光电子研究院名誉院长，药物研究院名誉院长。

LED具有的独特优势是传统照明无法比拟的，因此它必将取代传统照明，成为新一代照明产业，获得巨大发展。

半导体照明的意义

2008年北京奥运会成功应用了半导体照明，奥运会对LED产业的发展起了很重要的助推作用。由于北京奥运会的成功举办，LED产业因此得到我们国家和各省市领导的重视，市场的资金投入也大大增加，LED产业由此得到比较快的发展。水立方的LED照明全都是华侨捐赠，大概花了1亿多元人民币，水立方正面有"北京欢迎您"的字样，屏长104米，高20米，主体面积达2080平方米，总共用了700万颗LED灯，规模很大。

125

人类照明的发展史

人类一开始是利用木材、蜡烛、油灯，甚至有些人把萤火虫放在玻璃瓶里面来照明，这些方式的效率都是极低的。1879年，爱迪生发明了白炽灯，由碳、钨丝构成，成为照明发展的重要里程碑。之后出现了荧光灯；再往后，就出现了LED照明。

什么叫LED灯

LED，英文全称是Light Emitting Diode，又称发光二极管，利用半导体芯片作为发光材料，当两端加上正向电压，半导体中的载流子发生复合，放出过剩的能量而引起光子发射产生光辐射。

由红、绿、蓝三种颜色的LED组合起来，从颜色的原理就可以得到白光，这是第一种方式。第二种方式是用紫外线LED+RGB荧光粉，也可以得到白光。第三种方式就是用蓝光LED+黄荧光粉，也可以得到白光。

| RGB | 紫外线+RGB荧光粉 | 蓝光LED+黄荧光粉 |

在整个半导体照明发展过程中，美国的科锐公司发展很快，而且不断创新纪录，它的最新成果已经达到每瓦276Im/W，并且达到350mA驱动电流，为全世界提供最先进的LED器械。

LED照明的优势

第一，超长寿命。半导体芯片没有灯丝，也没有玻璃泡，不怕震动，也不容易破碎，使用寿命可达到5万小时，对应于半导体元件寿命10万小时。

第二，高效节能。LED照明灯具功耗仅为白炽灯的60%。

第三，光线健康。LED能创造良好的可见度和舒适愉快的环境。

第四，绿色环保。因为这种LED固体的灯不含汞和氙等有害元

素，利于回收和利用，而且不会产生电磁干扰，比如水银灯中含有汞和铅等等，节能灯中的电子镇流器会产生电磁干扰，LED灯则不存在这些问题。

第五，保护视力。因为LED是直流驱动，频闪比较少，普通灯都是交流驱动的，因此必然产生频闪。

因为LED安全系数高，所需电压、电流较小，发热较小，少产生安全隐患，可用于矿井等危险场所。LED的市场潜力大，因为它可以用低压直流供电，也可以用电池、太阳能来供电，因此可以用于边远山区以及野外的照明等缺电、少电场所。

我们可以看到LED具有的独特优势是现今传统照明无法比拟的，因此取代传统照明将成为照明产业发展的必然趋势。

看看LED应用的发展趋势

一开始LED只有红光、蓝光、绿光等，被用作指示灯、交通信号灯；随后进一步地变为小尺寸的背光源、照相手机的辅助光源；再后来被用作汽车的照明，还有大尺寸的背光源、显示屏、汽车外的光源、普通照明等等，现在汽车里面用到LED的差不多有17种。

全球各国LED照明产业的发展计划

美国很早就在这方面有所投入，美国政府于2000—2010年投资5亿美元，由10个重点实验室、公司、大学共同执行，研究降低成本和提高LED转换效率。美国能源部在2012年制订了"固态照明计划"，预测到2030年用固体照明取代55%的白炽灯和荧光灯。欧共体在2000年制订了一个"彩虹计划"，以欧共体补助金投资，由6个大公司和2所大学共同执行。

日本投资50亿日元，组织13个公司和4所大学联合执行，它的计划是2010年发光效率达到每瓦120流明①，而且要制订半导体照明灯具的国家标准。韩国计划2000—2008年政府投

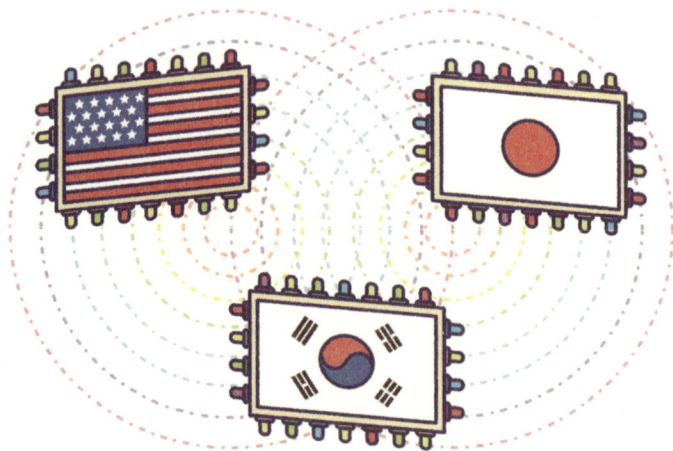

① 流明：描述光通量的立体单位，物理学解释为一烛光在一个立体角上产生的总发射光通量。

资4.72亿美元，企业投入7.36亿美元，目标是使韩国成为亚洲最大光电子生产国，韩国制订"15-30普及计划"，即在2015年有30%的照明改为LED。我国台湾有一个"次世纪照明光源开发计划"，组织14个企业、研究机构、大学参加，主要是芯片加工、封装、应用，建立信息平台和测试平台。

我国LED照明产业的发展计划

我国成立了国家的半导体照明工程协调领导小组，启动了半导体照明工程。我们从科技、经济、社会几个层面提出一个明确的目标：到2015年中国的LED产业规模要达到5000亿元人民币，白光LED光效为150~200流明/瓦，预计每年能够节电1000亿度，节省标准煤3500亿吨，减少二氧化碳、二氧化硫和粉尘排放1亿吨，新增就业200万人。

我国半导体照明"十二五"规划重点任务主要从基础研究、前沿技术研究、应用技术研究和共性技术平台建设几个方面着手。其中，前沿技术研究和共性技术平台建设是最重要的两个方面。

我们要突破白光LED专利壁垒，因为我们这方面开展得比较晚，因此很多专利都是由外国的公司所掌握，我们需要突破LED的专利壁垒，光效要达到国际同期的先进水平，我们同时要研究大储存Si（硅）衬底等白光LED制备技术，实现核心装备和关键配套原材料国产化，提升产业制造水平和盈利能力。在应用技术研究方面，在工艺、系统继承技术上以抢占创新应用制高点为目标，开发

129

高光色品质、多功能创新型半导体照明产品。

我们还要建设共性的技术平台，以创新的体制建立开放的国际化公共研发平台，加强共性关键技术的研发，探索以企业为主体、政府和高校科研机构参与的共性关键技术研发。这是我们国家半导体照明"十二五"规划的重点任务。

中国大陆LED产业主要分布在珠三角、长三角、北方地区、闽三角，现在看来还是珠三角占优势，占到42%，长三角是35%，北方地区是5%。珠三角2012年LED总产值达到1280亿元，占全国的42%，长三角是35%，闽三角是8%左右，其他地区为10%。

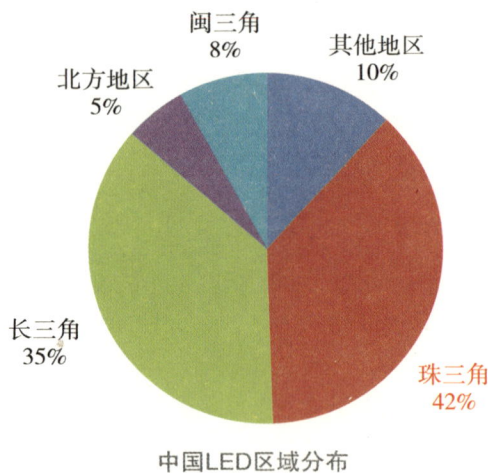

中国LED区域分布

广东省LED的发展优势

广东的LED封装工艺及制造技术很强，其封装技术水平居全国领先地位，产值占全国1/4以上。

在MOCVD系统的研发和制造方面，广东省工业技术研究院和广东昭信半导体装备制造有限公司致力于LED产业关键技术的攻关与MOCVD设备产业化。MOCVD设备很贵，地方要进口一台MOCVD，政府就补贴1000万元，花的外汇也非常多。

广东的新产品开发能力强，标准化程度高。我们已经启动了以LED路灯为核心的半导体照明产品标准的制定。广东有很多县以及一些地级市都建了LED路灯，因此比较早地提出以路灯为核心的半导体照明产品的标准。广东省LED在2012年5月份印发了《广东省全面推广应用LED照明产品的实施方案》。

LED产业的最前端就是做关键元器件、关键原材料的MOCVD设备。广东省启动了MOCVD设备研制、LED封装设备生产制造企业。在上游产业，广东省外延生长企业6家、芯片大型企业7家。在中游产业——LED封装方面，已有从事LED封装的上市公司6家、中小型企业数近千家。我们在应用方面的品种、门类都比较齐全，下游产业在广东应该是发展得很快的。

广东省LED企业在产业链各个环节中所占的比例如下：LED应用占81%，封装占18%，外延及芯片的研制占1%。广东省上市的LED企业来自中山、鹤山、佛山、东莞、广州、珠海、深圳，这些城市都是发展比较快的地方。

世界LED主要厂商大概有：美国Cree公司、美国Philips Lumileds公司、德国Osram光电公司、日本Nichia公司、日本丰田合成公司、韩国首尔半导体公司、中国台湾晶元光电公司，台湾晶元为我们提供了很多芯片。

广东省战略性新兴产业半导体照明的全产业链发展，具有自主知识产权，产值将接近2000亿元，有完整的人才队伍。

进一步加快半导体照明逐步取代传统照明的步伐是很重要的，其中，降低成本、培养高素质的人才队伍、提高公司的技术水

131

平是几个关键的方面。

华南师范大学在半导体照明方面起了重要的作用。华南师范大学是国家"211工程"重点大学，拥有"光学国家重点学科"，有厚实的LED研发的学科基础。在高校里面，华南师范大学是第一个新引进MOCVD设备的高校，2003年广州市科技局立项投资2000万元、学校投入2000万元、香港健隆公司投资10 000万元共同建设广州市LED工业研究开发基地；目标是建成在国内外有影响的LED研究和生产基地。

研究开发基地建在华南师范大学石牌校区，于2007年5月28日正式运行，是广东省内建设的最完整的固体照明研发基地，为广东省LED发展奠定了基础。广州市科技局投入2000万元建成广州市LED工业研究开发基地，同时也有产业的投入。

1992年华南师范大学在国内最早应用EMCORE公司的MOCVD系统，率先研发红光系列LED，之后开展四元系研究。2007年引进Thomas Swan公司的蓝光MOCVD系统，是三片两寸的第一台顶盖翻转式系统，是多片LED产业化机原形。华南师范大学的团队研究成果也得到肯定，并且建有材料生长实验室、结构分析实验室、光谱分析实验室等等。

9

超级计算及其在广州的发展

李楠

国防科学技术大学计算机学院教授。

国防科学技术大学计算机学院副院长，"天河二号"工程副总指挥，天河超级计算机系统新闻发言人，专职从事银河天河超级计算及系统研制和推广应用。先后参与"银河三号""银河四号""银河五号""银河六号""银河七号"以及"天河一号""天河二号"超级计算机系统研制工作，在超级计算机体系结构、网络通信、系统软件、应用软件等领域取得了一系列重要成果，荣获国家科技进步一等奖2项、部委级科技进步一等奖3项。

2011年起，参与主持广州超级计算中心的论证、建设和"天河二号"的研制工作，是广州超级计算中心领导小组办公室核心成员。

超级计算机是解决大科学、大工程等各种挑战性问题必不可少的工具；它涉及人类的生存和发展。建设超级计算机功在当今、利在千秋。

什么是超级计算机

超级计算机是在同时代里，运算速度达到最高级别的大容量巨型计算机。这里有两个定语很关键：首先是"同时代里"，计算机的发展速度非常快，同时代里计算机的发展区别非常大。第二是"最高级别"，也就是说超级计算机是在这个时代里运算速度处于最高级别的计算机，运算速度超级快，单位是FLOPS。

超级计算机的第一个特点就是速度超级快。国防大学研制的中国"天河一号"超级计算机是4.7P，夺取了2010年的世界第一。

2011年日本研制的"京"计算机是11P，即1.1亿次，2011年超过了"天河一号"夺取了世界第一。

2012年上半年美国IBM研制的"红杉"达到了20P，夺取了2012年上半年的世界第一，2012年下半年美国Cray"泰坦"研制27P计算机，夺取2012年下半年世界第一。

大家可以看出来，世界大国在超级计算机方面的竞争非常激烈。

目前美国、日本正在筹划研制E级超级计算机，它的速度是100亿亿次，其规模将是"天河二号"的10倍，美国是计划在2018年左右实现，日本计划在2020年前实现。日本这个机器主要将用于地震、海啸灾难预测和生命科学、新药医学领域；美国应用的主要领域更加宽泛一些。

超级计算机的第二个特点是容量超级大。"天河一号"的存储容量是1000万亿个字节，美国的"泰坦"是1亿亿个字节，"天河二号"将超过1.5亿亿个字节，"天河二号"如果全部来存数字图书的话，相当于可以存750亿册10万字的图书。

超级计算机的第三个特点是体积超级大。"天河一号"有138个机柜，日本"京"达到864个机柜，美国IBM红杉有96个机柜，Cray泰坦有200个机柜，占地非常大。"天河二号"全系统110P的规模相当于300个机柜。按照同等性能来折算的话，110P"天河二号"的性能是美国"泰坦"的4倍，但是前者的体积只是后者的1.5倍，这说明"天河二号"的计算密度显著高于"泰坦"，计算密度越大就意味着这个机器越省地方，越"苗条"。

超级计算机的第四个特点是耗电超级多。"天河一号"的耗电是4兆瓦，日本的"京"达到12.66兆瓦，美国"红杉"耗电7.89兆瓦，"泰坦"耗电8.2兆瓦，"天河二号"耗电约30兆瓦，性能是"泰坦"的4倍，功耗约为"泰坦"的3.6倍，"天河二号"能效比高于"泰坦"。

超级计算机的第五个特点是造价超级贵。日本的"京"花了1100亿日元，相当于60多亿元人民币。美国的"红杉"和"泰坦"的花费都超过10亿美元。"天河二号"的研制经费也在10亿元人民币以上，因此，造价是特别贵的。

为什么要造超级计算机

超级计算机是解决大科学、大工程、产业升级和信息化建设各项挑战性问题必不可少的工具。

科学研究有三大手段，首先是理论研究，再通过实验来验证理论，发展理论。自20世纪40年代计算机诞生后，计算已经成为科学研究一个越来越重要的手段和工具。

所谓"大科学"问题都是涉及人类生存的一些大的问题，也涉及很多纯科学研究的问题。比如说关于宇宙起源的问题，大家看到的是美国"泰坦"的计算，宇宙在50亿年以前非常密集，经过10亿年的演化，到今天宇宙已经膨胀了。再比如说日本，大家知道日本是一个地震多发国家，地震还引发海啸等灾害，日本的计算机

137

主要用于生命科学和地震海啸预测等方面。又如"天河一号"计算机，现在天气预报是用"银河""天河"这样的超级计算机来进行的。过去天气预报是两三天，现在看到的新闻联播还是预报明天或者是后天的天气，但事关国家的军事或者重大活动的天气预报当然越提前越好，"天河一号"通过两小时的计算就可以预测一周以后的气象情况。

这些问题涉及人类的生存和发展，过去美国、欧洲、日本的科学家在这方面进行的研究比较多，中国的研究相对来讲要薄弱一些，今天，我们的国力大大增强，中国人占了世界人口的1/5，我们有责任来研究这样一个大的科学问题，这涉及我们的子孙后代的生存环境，涉及以后地球的变化趋势。

一些大科学问题的研究，通常涉及纯科学方面的重大理论突破，这方面再转化到应用科学上，它可以带来巨大的应用价值。大工程主要是解决高置信度、全三维、全过程数值模拟机大数据处理的问题。这些工程无法通过实验来测试，只能拿计算机来进行模拟。比如说载人航天、深海探测、地球模拟、核电站工程、能源勘探等等，只有用计算机来进行模拟，才能解决这些挑战性问题，超级计算机是这些工程必不可少的支撑平台。

大家知道，我们国家是由农业大国向工业大国再向信息化大国迈进。以前我们的材料加工产业比较多，处于产业链的底端，产业升级重点要实现从制造到设计的升级，要从简单的模仿上升到技术创新、产品创新，形成一个完整的产业链。要实现这样的升级，就必须建立起很好的物理模型，找到恰当的计算方法，再用超级计算机来进行数字模拟，再采用数字制造的方法来把它实现。还有一些战略性新兴产业的发展，比如能源、环境、生物制药等，都需要超级计算机来帮忙。

举一个例子，现在我们国家的陆地石油勘探已经超过美国，是世界第一。海洋的石油勘探是世界第二，比美国差一点。现在国内的油田勘探得差不多了，因此要和非洲以及东亚一些国家来共同开发油田。这些国家的油田的开发是采取招标的方法，事先进行勘探，通过模拟地震产生地震回波数据，然后发包给世界上一些主要国家，大家来争取，哪个国家想要开采就必须提出方案。这些技术数据必须用超级计算机来处理，人工是不可能的。美国过去长期占主导地位，美国要求从发数据包到招标只要30天，30天必须交标书。但是往前推三五年，我们国家的超级计算机30天算不出结果，然后就开始连猜带蒙地提出方案，因此导致我们的方案估计得过于乐观或者过于保守。过去我们在海外投标总是输给美国，但是"天河二号"出来以后，情况就有了很大的变化。2010年在土库曼斯坦有一个油田发标，后来我们安装在天津的"天河一号"8天就算出来了，而且顺利地拿下了这个标书。

在信息化建设方面，大家知道现在物联网、互联网、云计算的发展方兴未艾，物联网所需要的平均计算和存储能力刚刚起步，在产业升级和信息化建设方面，超级计算机都将发挥不可替代的作用，它主要用来解决挑战性问题。首先是计算能力的挑战，它的问

139

题规模特别大，精度要求很高，能否计算它、能否在有效的时间内完成计算就成了关键问题。还有一个问题是数据的量特别大，我们叫海量数据。挑战性问题就要解决数据能否存得下，存下来以后在有效的时间内能否处理完成，处理完成以后能否理解并应用它，这就叫大数据挑战应用问题。

挑战性问题和计算机是矛与盾的关系，这个问题的规模很大，如果当前的计算机算不了，就要造出一个大计算机，算出来之后，这个计算的规模又可以进一步变大，它的计算网格密度会进一步加密，解决不了更挑战的问题，它们两者是矛与盾的关系，在相互依存着发展，所以它们既是敌人也是朋友。

发展超级计算机的难点

一是研制难。现在世界上能够研制超级计算机的国家，在亚洲有中国、日本；西方国家则是美国、法国自主开发超级计算机，其他国家都向美国购买。

研发超级计算机需要先进的性能技术，即CPU、互连、控制芯片等核心器件无所不用其极。比如造超级跑车，要用最好的刹车系统和最好的变速器，最好的材料才能把超级跑车做到世界上最好。造超级计算机的方法跟造超级跑车是类似的，所有的东西都要是最好的，而且要并行计算。需要成千上万个中央处理器来协同工作，才能使超级计算机的速度变快。同时，我们还必须考虑到功耗、稳定性以及成本，所以它的研制是非常难的。

二是应用难。美国、欧洲在这方面确实比我们领先，科研和理论基础的薄弱使得我国很多行业的应用领域的模型和算法没有突破，也就更谈不上软件和应用了。

三是人才缺。美国有超过1万人的超级计算机高级专业人才，而我国急需超级计算机专业人才。我国更缺的是超级计算机跟多学科交叉的复合型人才。

四是基础弱。我国自然科学落后，产业发展不平衡。科研和理论基础薄弱，应用领域的模型和算法亟须突破。产业发展亟须从"制造"向"设计"转型升级。

141

世界大国为什么重视超级计算机

超级计算机是国之重器、战略高点，国家投入、重点发展。

第一，超级计算机是国家安全战略的需求。战略武器、尖端武器、信息化战争，信息化社会中的政治、经济、文化、民生等涉及信息和互联网的敏感问题，这些都需要超级计算机来进行一些监测处理。

第二，超级计算机是国家发展的战略需求。它是建设创新型国家，提升科技创新能力的重大基础设施，是产业转型升级的助推器，也是高端信息技术的辐射源。超级计算机的研制是非常尖端的技术，它可以带动光电子、微电子、电子工业等方面的发展，因此它具有很强的产业辐射性。它是信息化社会的资源池。如果"天河二号"装到广州的话，广州的每一个居民所分到的计算能力和存储能力会有大的提升。

第三，超级计算机能够帮助我们占领激烈竞争的战略制高点。在国际超级计算机"TOP500"榜上，排在榜首的是由中国国家超级计算机无锡中心研制的"神威·太湖之光"。排名第二的是来自中国广州的"天河二号"。中国入榜167台，美国则是165台，第三到第十名依次为：美国的"泰坦"与"红杉"、日本的"京"、美国的"米拉"和"三一"、瑞士的"代恩特峰"、德国的"花尾榛鸡"和沙特阿拉伯的"沙欣Ⅱ"。

第四，超级计算机是各个国家的发展重点。美国、日本、欧

盟、印度、韩国都有超级计算战略规划和计划，我国国家长期科技发展纲要也将此作为"863计划"重点项目来支持。我国在三十多年的发展历程中，有两个品牌，一个是"银河"，"银河"已经有三十多年历史，它主要是国防保密系统，用于国防和武器装备领域；第二个品牌是"天河"，这是一个非保密系统。技术上面，"天河"与"银河"一脉相承，有一些特殊的功能我们进行了处理。

超级计算机的相关概念

①超级计算机、高性能计算机、高效能计算机，它们的英文都是Super Computer，这是大众化的称谓，以前称巨型机。但是学术界不喜欢用"超级"，总觉得"超级"有点娱乐色彩，学术界用高性能计算机（High Performance Computer），再后来一个称谓叫High Productivity Computer，这是学术界对综合效能的期望，但是现在还尚未通用。

②冯诺依曼结构、并行体系结构。冯式结构是计算机理论模型，至今未变，并行仍是冯式结构，是技术受限情况下的变通办法，超级计算中并行无所不在，还会长期存在，软件多级并行，硬件多级并行。

③摩尔定律，英特尔创始人之一Gordon Moore提出当价格不变时，集成电路上可容纳的元器件的数目，约每隔18~24个月就会

增加一倍，性能也将提升一倍。

④千倍率，近些年大家突然发现一个规律，每10年超级计算机的性能要提高一千倍，即大概每过10年要提高一千倍的性能。

⑤能力型计算、容量型计算。能力型计算就是需要全系统开足马力计算一个挑战性问题。容量型计算是指计算问题特别多，但每个题目都不一定很大，用一个容量型计算机可以算成千上万个问题，在日常生活当中有大量的计算问题是容量型问题，如果大家都上网，服务器能容纳同时上网的处理速度，这就是个容量型问题。

我们讲的超级计算机通常指的是能力型计算机，是解决大问题的。能力型计算机可以兼顾容量计算，但容量计算机不能做能力型计算，它的效率不够，算不出来。

⑥大规模并行计算机、集群计算机、高性能或高端服务器，这个我就不重点讲了。

⑦超级计算、高性能计算网格。多台超级计算通过外部互联网连接起来，通过网格软件实现资源共享、协同工作，从而有能力提供更多的共享资源、解决更大的问题，超级计算机网格为"云计算"奠定了技术基础。

⑧云计算。云计算是一个基于互联网共享信息资源的商业服务模式，它将众多普通服务器连结在一起，进行统一的管理、调度和维护，通过互联网向用户提供信息服务，用户无需付出昂贵的信息系统构建和维护成本，只需通过互联网按需取用、按量计费。

云计算是怎么来的？大家知道，现在网上购物发展得很快，

越来越多的人通过互联网来购物，或者通过互联网来进行一些信息的交换，因此它的服务器就越来越多。美国亚马逊一个服务中心无论怎么增加服务器，到了圣诞节一定会崩溃。不能提供有效服务的话，在美国来说这是不可饶恕的，所以只有再增加服务器，但是进入淡季以后只有1/3规模的系统是活跃的，还有2/3是闲下来的，怎么办？就提出了云计算的概念。

超级计算机和云计算是不同的东西，它们有三个不同的方面：

首先，从发展的渊源上面来看，超级计算是由科学工程驱动，主要追求核心能力和综合效益；云计算是互联网商业应用驱动的，主要追求经济效益，现在国外云计算的服务器档次很低，但是通过虚拟化，使你感觉不到它档次低，只有档次低才有钱挣，只有规模非常大才有规模效益，所以从发展上来说两个发展目标完全不一样。

其次，从技术特征来讲，超级计算主要追求技术制高点，云计算追求大规模和低成本。超级计算有潜力解决云计算的问题，但是云计算反过来解决挑战性的超级计算问题是断然不行的。

再次，从事实主题上来看，超级计算主要由政府发展，云计算主要由商业资本和企业来发展。

超级计算和云计算在资源共享与网络化服务方面是有共性的，超级计算有能力向云计算延伸和坚固，反之则不行，但是要权衡侧重点和性价比。

政府支持超级计算和云计算的方法应该是不同的，从超级计算来讲，世界各国都是以政府投入为主，专项建设，科研、人才、学科"三位一体"长期扶持。

云计算则以商业资本和企业投入为主，规模化、产业化发展，政府重点是构建良性发展环境，比如制定相关的法规、制度，网络设施的高速公路要铺好，另外要把标准建立好，还要进行统筹布局，要考虑将一些电力富集、气候优势等结合起来，还要特别注意优化整合现有资源，不要什么东西都推倒重来。有人说我们国家的数据中心已经有4万亿次了，如果利用云计算的手段把它整合好的话，就能产生非常大的效用，如果废弃了就是很大的浪费。

⑨全球超级计算机TOP500排行榜。国际超级计算机计算能力权威评价，每年两次。中国每年都要开中国高性能计算年会，国际上还有一个很重要的奖项，即高登拜尔奖，它是超级计算应用创新大奖，这个大奖非常难拿，可以说是计算机领域的图灵奖。

部门和行业的超算中心是不对外开放的，我们在TOP500有一百多个席位，里面很多就是部门和行业级的。还有就是公共的，即面向全社会服务的，比如广州的超级计算机就是面向全社会服务的。

147

国际国内超级计算机的发展态势

第一，超级计算一直是世界大国必争的战略制高点，西方强国保持超级计算领先地位的决心从未改变。

"天河一号"夺取世界第一，加剧了国际竞争格局。"天河一号"夺取世界第一之后，奥巴马曾五次在公开场合表示中国的超算和中国的高铁超过了美国，美国要加大基础设施和超算的投入。现在世界大国的竞争比的是创新能力，而超级计算正是这个方面支撑的利器。

第二，西方把发展超级计算作为振兴实业经济、应对经济危机的主要手段之一。

2012年4月版*Scientific American*报道：“振兴美国制造业的关键在于让美国的超级计算机为中小型制造商服务，建议在美国政府、制造业界与大学之间建立一种协同机制，帮助中小型制造商克服缺少软件、技能短缺等使用超级计算的障碍。”美国希望在制造技术创新能力方面超过中国或者取得更大领先优势，广大的中小企业如果要技术创新，必须有计算机和软件，但中小企业没有能力购买和维护，因此美国政府与大学之间构成一个协同机制，使得超级计算机服务到美国的千百企业。美国现在的超算发展已经进入了一个“产业贯通式”深化发展阶段，中小型企业普遍应用超级计算的时代正在到来。

TOP500支持人之一的Jack Dongarra教授说：“加大对超级计算机的投资力度，加快研制进程，既可以直接带动微电子、光通信、软件研发等相关产业发展，又可以间接支撑生物医药、金融分析、新材料等新兴产业发展。

第三，当前西方强国在超级计算领域的优势明显。

这主要得益于自然科学的领先，得益于长期的投入和核心技术的突破，得益于信息产业的整体优势。我们要有非常清醒的头脑，清醒地认识到整体上有差距，这样才能有新的发展动力。

第四，协同设计成为越来越重要的方法学。

大学、企业、工业界、政府要协同创新，美国现在已经把协同设计作为支撑超级计算领域持续发展的重要途径，充分地利用公司、大学、研究所的协同创新，持续加大技术创新和产品创新的力度。

国际国内超级计算机的发展模式

现在超级计算机的模式在美国和日本已经逐步形成国家级的捆绑模式，未来广东超算中心可以充分吸取它们的优势。

简单来讲有三个方面，一是捆绑大科学、大工程，即国家、省、市在立项大科学、大工程任务的时候，就把总经费的20%直接给超算中心，谁来承担这个大科学和大研究的问题，就可以使用这笔经费，这实际上是把超算中心跟大科学、大工程捆绑起来了。

比如美国的"泰坦"是六大应用，宇宙演化、气候变迁、核、生命科学、材料科学、燃烧学都被捆绑在了一起。日本主要是地震海啸预测、生命科学、新药研制。

二是市场化的模式，有很多中小企业要用超级计算机来赚钱，我们就可以以合适的价格向企业收取一定的费用，对双方来讲都是合算的。

三是全面开放基础研究和学术研究。超算中心学术研究对大学是全面开放的，在发表的论文中要注明得到了广州超算中心的资助，这也是超算中心培养人才和促进技术研究的责任。

149

中国超级计算机应该实现三个转变

一是从以军队为主的发展道路，转变到军民融合主导的发展道路。

二是从以科研为主的发展模式，转变到科研、人才、学科"三位一体"的整体发展模式。不仅要投资做计算机，还要加强计算机学科的发展，加强复合型高技能人才的培养。

三是要构建一个良好的生态系统。光有好的计算机不行，还必须有好的应用技术、好的软件，要构成一个很好的生态环境，这样才能够发展。

150

关于广州超级计算机发展的思考

现在，我们要建设一个创新型的国家超级计算机中心，率先开始在广州超算中心进行实践，由国防科技大学、中山大学、科技部、广东省、广州市共建。

我们要研制世界领先的超级计算及系统，开发国际先进的超级计算应用软件，建设创新型的世界一流"国家超级计算广州中心"，推动科技和经济社会发展，服务创新型国家建设，广州超算应该说现在已经是扬帆起航。

发展广州超算，重点是要建设一个创新的模式和创新中心。

①建设创新型超算中心，关键在于体制创新、机制创新。

当前广州超算有三个"离不开"、三个"不一样"。三个"离不开"即离不开政府、离不开国防科技大学、离不开中山大学，这个机构的成立和创新应该是围绕这三方怎么融合、怎么更好协作来做文章。三个"不一样"即它与政府职能机构不一样、与大学学院不一样、与企业不一样，因此我们要做好机制创新。

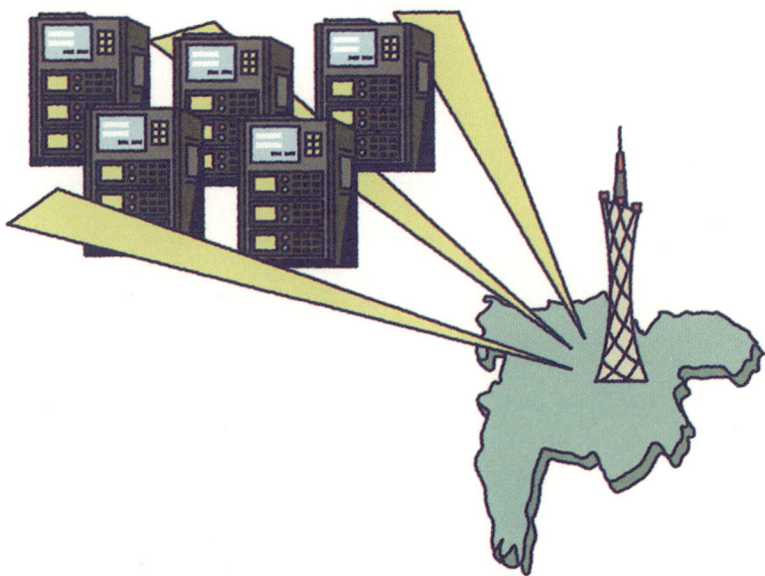

151

②广州超算要多元化长期扶持，关键在于立足长远、注重实效。

建设超算功在当今、利在千秋，不能急功近利、急于求成。长期的重大效益的取得不可能一蹴而就，它的起点高、难度大、底子薄，要持之以恒、科学发展；政府要积极主动、心态平和，为超算营造良好发展条件和环境。研发超算就像是攀登高峰，正因为它难，这座高峰又这么重要，所以我们不得不攀，一定要攀，但是政府要给我们足够的时间去攀，不能要求我们一夜就到珠穆朗玛峰的顶端。我们要迎难而上，又要做好打持久战的准备。

第三方商用软件是必需的，但要与供需企业结合、模式创新，科技专项的引导也是必需的，但是要突出重点，确保成果，而且一定时期的资金补贴也是必需的。

超算这么大，一下子难以完全靠自立，这个时候需要对它进行一定时期的补贴，但是这种补贴不是完全无条件的，也是需要看业绩的。比如美国、日本的超算是三个方面，一是国家大工程、大科学的捆绑，二是在市场上尽可能弄点钱，三是支撑大量技术研究人才培养，政府觉得这个项目干得漂亮，所以愿意提供补助。

③要与云计算适度结合，关键在于科学布局、协调发展。

超算的使命具有战略前瞻性，主业是科研、工程和产业升级，不能把超算办成商业化的云计算，两者目标是不一样的，超算也不是万能的，并不能适用所有的云计算，或者是技术规格上的不适用，或者是性价比不适用。因此云计算要与超算适度结合。

结合应该是已有资源和应用于超算的结合，在优化整合基础上继续发展，不能推倒重来，也就是说原来信息化的功能已经有了，超算来了以后，可以将两者结合起来，再提高一倍，而不是说超算来了之后，就把之前的技术停掉。

热带海洋微生物多样性及其利用

张偲

中国工程院院士。

研究领域包括海洋生物、海洋药物、海洋生物化学生态学。近年来负责了"南海生物活性萜类和生物碱的构效关系及其作用机制"和"海南岛红树植物的活性化合物及其化学生态学的研究"国家"973计划"前期研究项目、国家"863"基金课题、中国科学院重要方向项目和广东省优秀团队基金项目等国家和省部级课题29项。长期开展海洋生物活性物质的研究与开发,分离鉴定了900多个海洋生物化合物,发现了119个新化合物,筛选出了21个具有抗老年痴呆症、抗肿瘤、抗菌或抗动脉粥样硬化等生物活性化合物,完成了1个国家药准号新药和2个保健品的研制。曾获得省部级科技进步奖7项;申报国家发明专利20多项(其中7项已获得授权);负责完成的科研成果"热带海洋生物活性物质的利用技术"经中国科学院组织专家鉴定,认为该成果整体达到国际先进水平。

我们现在对海洋的认识还是非常有限，可以说是"九牛一毛"，其实可能"九牛一毛"都没有。"下海"还是有很多活要做的，包括海底空间站、深海钻探、海洋生物等，太多的难题需要我们去解决，所以大家要找准探索的方向，去用功，去努力。

海洋微生物学的研究背景

大家都知道，热带海洋就是低纬度海洋，就是赤道两侧的海洋。我们国家的热带海洋主要是在印度洋、西太平洋和南海之间，是地球上生物多样性最大的区域之一。

青藏高原8800多米，在广东的西北面。有人说青藏高原是除南极、北极外的第三极。在广东的西南面还有一个马里亚纳海沟，马里亚纳海沟的海拔是负11 000米，叫作地球第四极。南海正好在第三极和第四极之间，它的演化发育与第三极和第四极的遥相作用有关系。

5000万年以前，地球上是没有青藏高原的，也没有南海和马里亚纳海沟。大概从4500万年以前开始，由于印度洋板块向东北方向撞击，板块的撞击使得青藏高原开始形成，到3500万年以前初步形成青藏高原。

距今3500万年以前，由于板块的挤压，南海开始绽裂，同时在马里亚纳海沟爆发火山。大概到了2500万年以前，南海初步形成，马里亚纳海沟这个位置火山爆发频繁，到大约距今1500万年以前，南海的基本格局形成，大概到1000万年以前马里亚纳海沟也形

155

成了。

由于第三极、第四极的遥相作用，不断影响南海的发育和演化。

从物理角度来看，南海处在一个季风区，它

临近西太平洋，海水温度会比周围高出三五度，南海及其邻近的西太平洋和印度洋形成了一个"暖池"，这影响了中国的海水温度，靠环流影响，它是一个热力的传送带，影响整个区域的气候。暖池在不同的季节还有不同的现象，在冬春季刮的主要是西北风，西北风的贯穿流就是从南到北，流量很大；西南季风上来，主要是从南面往北面走，把东印度洋的物质能量通过南海传送到西太平洋。

在南海的海盆里面有很多的岛礁，岛礁里面有珊瑚礁，西南中沙群岛的珊瑚礁是我们领土的一部分，所以珊瑚礁对我们来说至关重要。在海岸边上有红树林、海草等等，这就是海洋海盆生物的一个基本特征。

在全球变化与人类活动的影响下，南海的环境出现了恶化，生态系统也在不断退化，主要有四种现象：人类过度的渔业活动，捕捞过多；水产养殖过快，出现了富营养化；海岸侵蚀，礁体萎缩；生物多样性锐减。

大家知道，植物（生产者）利用阳光、营养盐而生长，动物（消费者）消费植物，动物的尸体、有机碎屑变成微生物（分解者），它再变成无机营养盐。微生物是动物、植物之间最好的一个天然的联系纽带和环节，所以说微生物极其重要。

关于微生物的研究中，核心的科学问题是利用生态工程原理，包括物质循环再生、物种多样性、协调与平衡、系统学和工程学，保护与修复自律性减排，以期对生态环境保护起到主导的作用。

我们针对热带海洋微生物的时空分布特征及其功能要做三个方面的工作，一是观测微生物多样性时空分布是怎样的，它们分布在哪里，分布的物种性怎么样；二是利用微生物多样性对生态进行保护与修复；三是对微生物的功能利用以及天然产物、次生代谢产物、初生代谢产物的利用等等。

157

海洋微生物学的发展

世界上海洋微生物学的发展大致有两个阶段。

第一个阶段，20世纪70年代，科学家提出微食物网的理论，微食物网指的是海洋中自养和异养的超微型浮游生物、微型浮游生物和小型浮游生物之间形成的网络状营养关系。

第二个阶段，20世纪80年代初期，免培养的rRMA分析。微生物很难培养，主要是它的遗传稳定性不高，从环境里面把微生物拿回来，第一次培养是可以的，大概有50%~60%的存活率，但是随着微生物的生长，到第五代，它的培养率就只有1%了。虽然微生物的物种非常多，但是它可培养的数量很少，这时候就产生了免培养的rRMA分析法。

中国对海洋微生物的研究最早是1962年的《海洋细菌学》到90年代初福建海洋所对福建沿海海洋放线菌资源的研究；2000年，上海第二军医大学开展了东海海洋微生物的研究，中科院沈阳应用生态研究所对黄海、渤海、辽宁近海进行了微生物的资源调查，2009年，《中华海洋本草》副篇《海洋资源微生物》是我国海洋微生物的一本专著，2010年《海洋微生物菌种目录》描述了近千种海洋微生物。

南海海洋所主要研究生物多样性的认知和生物多样性的利用。三亚站、细纱站、大亚湾站观测站有各种仪器设备，对热带海洋生物多样性必须进行时空分布的观测。我国构建了海洋生物多样性的观测体系，从南海到东印度洋构建了多样性的观测体系。我们特别强化了海南岛三亚站的观测站，得到了许多相关数据。我们实现了微生物纯种快速分离、有效培养和储藏等，为微生物的培养奠定了很好的基础。主要解决了微生物纯种培养的难题，获得了大批微生物纯种培养的技术。

海洋微生物的培养方法有：①投其所好培养法，根据字面意思，我们就可以知道，微生物生长过程，它需要什么，我们就给它什么，需要的细菌长出来，不需要的细菌抑制下去。②定向富集筛选法，主要是在培养基中添加希望水解的底物，在培养基中添加希望生产的前体物质，定向富集筛选特定的活性次级代谢产物产生菌，将高盐、低温、高温等条件引入分离培养过程。③实验验证法。

通过这些工作，我们发现了微生物新科1个、新属4个、新种16个，含产酶新种4个，固氮菌新科1个、新种4个，得到国际著名专利刊物的高度评价。

我们也发现了微生物的新功能，主要有三个部分：一是固氮营养作用，可以用于修复红树林珊瑚礁；二是酶解催化，解决初生代谢产物利用；三是生理活性，可以作用次生代谢产物利用。

第一，利用微生物固氮作用修复海洋生态。

我们必须先做的基础工作是对新物种进行分类。我们从珊瑚礁红树林里面分离了1600多株菌种，它主要是生物体内氮营养源。红树林的种植主要有两个问题：一是温度不适合；二是没有可以利用的氮磷这些营养物质。

事实上，现在的海滩氮磷等营养物质非常多，但是它们不一定可用，红树林需要的氮是氨基氮、铵态氮。所以非常需要固氮菌，把不可用的氮转化成可用的氨基氮、铵态氮。

红树林修复的评价有三个原则：红树林的覆盖率、红树林植株的成活率、生态系统多样性的生产力。

我们首先是对红树林的适宜林地进行选择，通过固氮菌的营

159

养作用，促进红树林幼苗的有效生长，促进保育，最后促进红树林生态系统的发育。固氮营养修复技术的主要创新是对固氮菌的采集、分类鉴定、筛选、培养，固氮菌与红树幼苗的共培养，对固氮菌进行跟踪研究，这方面我们也获得了大量的专利和原始的发现。

第二，通过微生物可以实现生物资源的绿色利用。

微生物酶解转化软体动物功能肽，这个作用很重要，所以要对微生物复合酶系统进行高效的酶解、定向制备、筛选，最后形成功能肽，这就是初生代谢产物的绿色利用。

我们发现了一个新型适冷金属蛋白酶，现在很多酶适用的最佳温度为六七十摄氏度，但是我们发现的这个酶只需要45℃，很节能，在35℃就能发挥最佳的作用，这是它的主要优势。我们通过构建枯草杆菌—大肠杆菌穿梭表达载体获得重组酶，这个酶就不需要原来的菌株进行生产了。

新型糖苷酶，宏基因文库克隆、异源表达等获得MgCe144、r-BgINH等糖苷充足酶，可有效接触蛋白质糖基侧链的屏幕作用。

通过营养因子诱导优化，促进复合酶系统功能多样性和协同作用，能使生物酶活性提高到3倍，使结合蛋白水解率比传统技术提高6%~7%。

我们制备了两个新的功能肽，包括日本鱿鱼肽和珍珠贝多糖肽，目标蛋白肽产率增加到原来的2倍，它能起到免疫保健的作用。

我们利用微生物酶定向改造角蛋白，发明珍珠精细加工新技术。实现的成果有：降解珍珠层杂色角蛋白；使角蛋白小型化，拓宽珍珠层内外分子亚通道；使六边形霞石结晶光泽更好，更加晶莹剔透。

我们的功能肽得到应用，包括生产饲料等等，在行业里得到了很好的推广，也获得了一系列的表彰。

第三，次生代谢产物的绿色利用。

次生代谢产物的绿色利用包括作用机制深化研究、制备水平的提升、食品安全技术保障，最后到功能性产品绿色开发。

我们有一个很特别的发现——热带海洋微生物新的化合物。我们在这方面做了很多的工作，也取得了很好的效果，也得到了有关专家的高度评价。

我们获得了几个新药的药号，包括国家新药"海珠口服液"创制，品牌药品"珍珠明母滴眼液"技术改造，珍珠化妆品和生物农药"氨基寡糖素水剂"的研发，从根本上发挥动植物防病的功能。

这些产品得到了相关企业很好的推广，产生了积极效应，获得了国家科技进步奖二等奖。

我们发现了微生物新科1个、新属4个，含放线菌新属2个，占世界的1/6；从新种中筛选新的蛋白酶，这方面是国际领先水平；固氮营养功能修复生态，这也是具有自主知识产权的工作。既获得了一批标准、专利，也获得了一批奖励。

植物的光合作用要利用碳，把大气中的碳吸收下来才是合理的，但是现在不合理的是海洋向大气输送碳。这说明海洋生态系统是有问题的。例如青岛，这本来是一个非常美丽的地方，但是海里的绿藻又浓又厚，海洋环境微氧化（微生物氧化），这方面的灾害非常严重。

热带海洋生物新资源的强化挖掘和深化利用很重要，这方面的资源挖掘还要深化。

党的十八大提出"海洋强国"战略，习近平总书记提出"着力推动四个转变"，即着力推动海洋经济向质量效益型转变、着力推动海洋开发方向向循环经济型转变、着力推进海洋科技向创新引领型转变，着力推动海洋维权向统筹兼顾型转变。因此，我们要关心海洋、认识海洋、经略海洋，推动我国海洋强国建设不断取得新成就。

162

我们要做的事就是从海洋环境修复保护入手。海洋中的氮很重要，氮循环、生物固氮及其在生态环境中修复中的意义非常重要，海洋中的氮排除非常重要，所以要对生物氮进行充分利用。

海洋生物中的生物固氮也非常重要，生物固氮出现了两极分化的现象，一是氮分布不均匀，二是深远海寡营养，氮限制。这都是生物固氮没有发挥好作用。所以，我们要完善氮的时空分布观测，把研究扩展到东印度洋、西太平洋。我们现在在斯里兰卡建设了观测站。

接下来我们要做的工作是，把珊瑚礁的共生藻保护好。珊瑚礁之

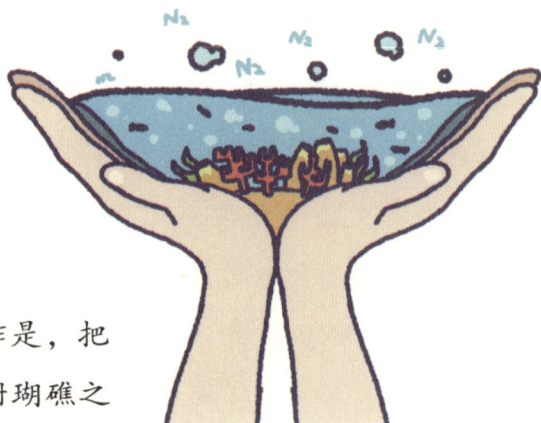

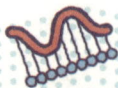

所以会出现珊瑚白化现象，就是因为没达到珊瑚的共生藻比例，如果共生藻死了的话，珊瑚就变白了。

我们也提出了评价珊瑚礁修复的三个原则，即珊瑚的覆盖率、珊瑚个体的成活率、生态系统的生物多样性及其生产力，分短期、中期、长期的评估。我们为此做了一些工作，首先是找到固氮菌，把固氮菌跟珊瑚礁共培养，使珊瑚得到很好的发育，这样珊瑚生态系统就建立起来了。这项工作主要是在西沙群岛的赵述岛进行，赵述岛是珊瑚礁保护修复重点示范区。它的礁盘有1万多平方公里，是非常大的一个礁盘。

163

展望未来

现在全球气候变化，气温增高，海洋环境形势不容乐观。极地冰带在消融，海平面不断上升。

国家现在提出要减排，主要是减少二氧化碳的排放，保护环境。根据地质学家的看法，他们认为全球气候变暖主要是地球活动的规律。

我们的地球是有活力的，它现在还是一个很有活力的地球，因此它会有一些运动。我们大家知道，大气层对地球有着很好的保护作用，地质学家主流的观点认为，全球气候变暖是地球活动规律的一个必然。

全球气候变暖，有害的微生物变多，我们能做的就是把有利的微生物找出来，用有益的微生物来抑制有害的微生物，这是我们今后要摸索和研究的，也是我们一个努力的方向。

地球上的水，海洋占了95%。海洋是一个真正广阔的天地，因为它的面积大，水很深，这里面还有很多工作要做。

目前，我们国家在科技界一个很大的成就是"上天"，而"下海"还有很多工作要做，包括海底空间站、深海钻探、海洋生物等，海洋里还有太多的难题需要我们去解决，所以大家要找准探索的方向，去用功，去努力。

164

中医药 与 高新科技

刘良

澳门科技大学教授，校长。

国内外知名的中医风湿免疫研究专家。从事中医治疗风湿病的临床和基础研究，以及中药抗炎免疫药理、抗关节炎及抗癌创新药物、中医质量控制技术与方法等研究。已在国内外学术期刊和会议发表研究论文或报告450多篇。

从1997年到2000年担任广州中医药大学副校长，现任澳门科技大学校长、中药质量研究国家重点实验室主任。

中医药在世界科学史上有很多创举，传统中医药的科学内涵很深厚，在人类的医学史上贡献良多。

传统中医药拥有不同于西医的医学理论和临床诊疗方法，传统医学理论、诊疗手段、治疗方法与药物"一体化"，构成了较完整的传统医学体系。

衡量中医是不是一门医学体系，关键是看它有没有独特的理论，以及用这个理论可不可以有效指导临床实践。中医药有独特而系统的理论，在这个理论指导下，能够防病治病、养生保健，这正是它最重要的科学内涵意义之所在。

167

中医药强调整体性思维和整合调节性治疗，注重关联，弱于分析。中医药理论讲五行，讲脏腑相关，讲经络，讲气血，等等，更多的是讲整体的关联性。

但是中医药在分析技术和方法上有所欠缺，这是由于历史原因造成的。我们现在利用现代高新科技来挖掘它，正是研究价值之所在。

中药具有"三多"特征

中药可以是单味药材，也可以是复方药材，但是它的化学成

分是多样的，即使单味药材里所含的化学成分也可能有几十种、上百种，甚至更多，而这些化学成分之间，有的有作用，有的没有作用，有的是单用的时候没作用，联合用的时候化学成分之间相互影响产生作用，所以它就会产生药理作用的多样性。

所谓药理作用，比如说降压、降血糖、防止衰老等等，由于中药化学成分的多样性，很多时候一种中药或者是一个复方可以出现很多不同的药理作用，是由于化学成分的多样性产生了药理作用的多样性。

中医药的药理机制与靶点也具有多样性。中医的多成分和多样的药理作用，导致了在临床上一种药材或一个方剂治疗多种疾病都会产生疗效，甚至是现在的西药治不好的，中药却有效。

正是由于它的化学成分多样性、药理作用多样性和作用机制多样性而使得中医药能防病治病、养生保健。

中医药是一个极复杂的科学系统

复杂系统的特征表现在：它是具有多数量组成成分的系统。

比如我们讲的中药化学成分的多样性，就是说它是由多数量成分组成的；各种成分之间互动发生关系，起到的作用往往大于它的成分本身，它不仅仅是1+1=2，结果可能是1+1≥2。

在中医药理论体系中，有许多是多层级的关联。有病因病理的关系，有病因病理互为因果；还有高层级向下的因果关系、低层

级向上的因果关系；组成成分间的多重因果。

复杂的系统常常是动态的、不停止的、不可预测非线性，无论是研究其他的复杂科学体系，还是研究中医药的复杂科学体系，由于它是动态的，更加需要我们在研究方法上创新。中医药复杂性主要在于理论抽象，缺乏现代科学意义的实证数据作为支撑。

中医治病因地、因时、因人而异。这是中医之长，但往往缺乏恒定性。

大家都有这样的感受，对于同样的病，不同的中医会开不同的药，但西医开的都是一样的药，这就是医学哲学和治疗理念有差别，人患病后的身体状态会变，环境条件也在变，故中医的治疗方法相对也在变。

西医讲究群体治疗，要仔细研究某些药治疗某些病的效果，最终采用现代世界公认的治疗方法。

中医的疗效判定缺乏统一标准及客观指标，辅助诊断设备及实验医学研究方法也比较缺乏，这些都是一些很复杂的科学问题，这些问题用中医药的理论可以解释得很好，但是很难用现代的科学语言和现代科学思维去进行表达。

所以，从这个意义上讲，中医药这个复杂的科学体系特别需要现代多学科高新技术的支持。

中医药在世界科学史上的创举

传统中医药的科学内涵很深厚，在人类的医学史上有很大的贡献。举一个例子，3000年前甲骨文上就记载了"瘤"字，约成书于12世纪。宋代《卫济宝书》已载有"癌"的象形字，较西医传入中国早了500~600年。

我们要清楚了解中医药的历史，这样才能跟西医进行很好的沟通。另外，我们的研究水平已走上国际了，中医药的科学语言也需要与现代的科学语言进行交流，这样中医药就有底气了。

大概在2500年前，一讲到做手术就想到名医华佗，实际上

《晋书》里就讲"初帝目有大瘤疾，使医割之"。

约2200年前，《黄帝内经》成书，这是当时中医药与同时代先进科学技术及多学科知识和成果相结合的最标志性成果，也是迄今中医学生必读之经典。《黄帝内经》的作者总结当时医疗的临床经验，结合了中国古代的哲学思想和文化，同时吸纳了同时代多学科的知识和技术。《黄帝内经》里至少包括了十几门学科的知识，其中有医学、天文、星象等领域的知识。这些都说明中医药理论形成时，学科体系是开放、开明的，由此吸纳了多学科的知识和技术，所以到今天照样需要如此。

约2000年前，《神农本草经》问世，载药物365种，成为中医药四大经典著作之一。

约1700年至1800年前，医圣张仲景写了《伤寒杂病论》，确立了中医临床辨证论治的诊疗原则。

约2200年前，华佗使用"麻沸散"实施外科手术，成为世界上最早运用麻醉法的人。抗休克理论不同于原来西药作用的模式，所以就提出了一个新的理论，这个新的理论就叫作"修式理论"，"修式理论"就源自对"麻沸散"的研究。

现在治病毒性流感的达菲，最主要的原料来自中药——八角茴香，里面有一种化学成分叫莽草酸。

巢元方编著的《诸病源候论》，描述了1720种病症的病因及症候，比西方同类医学著作要早大约1000年。宋朝的王惟一著《铜人俞穴针灸图经》，标示穴位354个，并且铸造立体针灸铜人模型教具，成为最早的针灸教具，并沿用至今。

在宋朝编著的《太平圣惠方》，载方16 834条，是世界上现存最早的国家药典，随后编成《圣济总录》，收载方剂20 000多条。迄今为止，这些文献都没有机会被很好地挖掘。

危亦林著《世医得效方》，成为最早的中医骨伤科专著。宋慈著《洗冤集录》，是现存世界上最早的法医学专著（约700年前）；朱橚等编《普济方》，药方61 000条，是我国最大的一部方书（约500年前）；李时珍著《本草纲目》（1578年），收载药物1892种，方剂10 960条，附药物形态图1160幅，被译成韩语、日语、英语、法语、德语、拉丁语等多种文字在海外出版；于张璐著的《张氏医通》和吴谦著的《医宗金鉴》，均有记述较详细的人痘接种预防天花的方法，被称为世界免疫学的先驱（约400年前）。

这些例子不胜枚举。中医药这些年越来越受到世界科学家、世界医药界的关注，中医药是一个极大的宝库，它既是药物学的宝库，也将是人类医学发展的理论宝库。

但我们不能只是躺在前人的功劳簿上，我们要与时俱进，要看到我们自己的优势所在，更重要的是要利用学到的新的技术和方法把中医药发扬光大。

在科学昌明的今天，中医药与现代高新技术必须紧密相结合，这既是中医药持续发展之所需，也符合中医学学术发展的历史性规律。

高新技术的属性与特征

高新技术是多学科智慧和技术集成的结晶，它不断地向高、大、远或精、深、微发展。高、大、远，比如我们的航天科技，精、深、微，比如我们的分子技术。现在的化学质谱分析仪不仅能分离小分子化合物，还能分离大分子物质，20年前，质谱分析仪是分析小分子，由于质谱分析仪的发展和创新带来了质的飞跃，出现了现代蛋白组学的大分子分析技术。

西医学快速发展的强大引擎就是应用高新技术，诊断的高新技术，比如MRI、PET、疾病分子生物标志物检测；治疗的高新

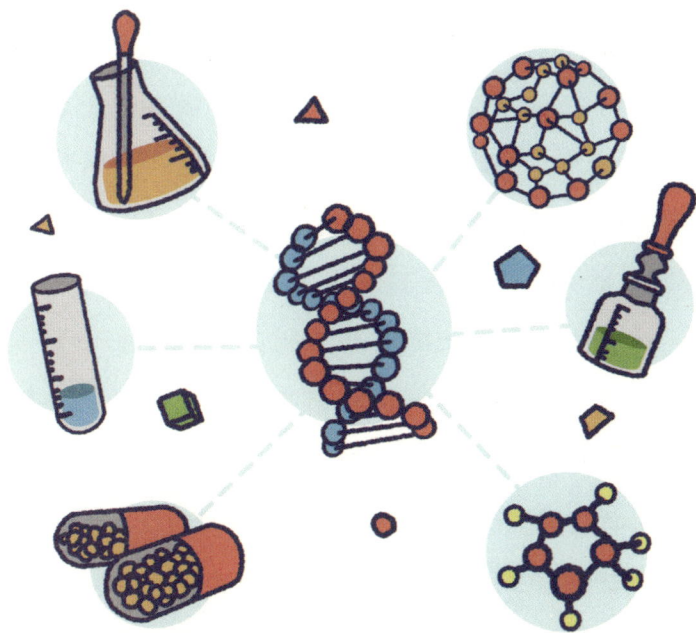

技术，比如诊断新技术，微创手术、靶向给药、介入疗法、伽马刀；预防的高新技术，比如基因疫苗、特异性疫苗；专业和学术交流的高新技术，比如视像会诊；研究手段不断"高技术化"，比如放射免疫测定法，PCR扩增酶标法等。X光原本是物理学家发现的，但西医把它拿来使用，并收获了巨大的成果，所以中医也应如此。

现代多学科高新技术如何融入中医药

首先要有开放和客观的态度，不惯性抵抗，不全部照搬，不求全责备。

很多医生觉得把脉的临床经验比设备有效。中国传统古代对人的体质有25种分法，韩国在学习中国经验的基础上提出了"四象医学"，把人分为4种人，即太阳人、太阴人、少阴人、少阳人，而且研究出了四象医学检测仪，把它用于临床的检验。

在高新技术领域，中医药要做的有很多很多。我们强调"三个注重"，第一，注重采用高新技术进行中药质量控制、新药创制与生产；第二，注重采用高新技术阐明中医药治疗的价值与作用机理；第三，注重集成多学科的高新技术，研发能够解析中医药复杂科学问题的创新技术与方法。

数字化和智能化技术与中医药发展密切相关。数字化正是中医药的弱项，但又是中医药现代化所必需的。中医药这种复杂体系，必须引入"大数据"的科学分析方法,并以多学科高新技术为支撑。数字化、智能化、个体化中医药诊疗系统的建立,将使传统中医药产生历史性变革。

中医药走上国际科学舞台的好时机

《科学》《自然》这些世界上顶尖的科学杂志目前对中医药特别关注,所以现在是中医药走上国际科学舞台一个很好的时机。

系统生物学组学技术的产生,是近二十年分子生物学领域最重要的进展。组学技术包括基因组学、蛋白质组学、代谢组学、糖/肽组学分析技术等,它正在使生物学和医药学学科产生革命性变化。组学技术的特点在于:能够高通量地表达疾病病理和药物作用的多靶点及其网络调节机制,故特别适合阐明中医整体性辨证论治和复方治疗的科学原理。

175

此外,以组学数据表达中医临床证候和疗效评价的内在机理,为建立新的中医临床诊疗方法和标准所借鉴。比如中医讲的脾虚、肝郁等,是中医"望、闻、问、切"得出的临床经验,如果临床经验和客观检查能结合的话,这将是临床诊疗一个很大的变革和进步。

以组学技术研究中药治病的内在机理,既可阐明中药作用的分子机理和靶点,也可带来现代医药学的新发现。

如何开展具有高度代表性和可比性的临床试验

一是随机化：常用计算机随机抽样方法，如以性别、年龄段、疾病的特定状态、吸烟与否等等，设立"分层随机化"分组。二是严格设立纳入标准和排除标准。三是除治疗组药物不同，安慰剂和阳性药对照组与治疗组的其他处理办法应予一致。四是采用相同的方法观察及分析各组的研究结果。但是，潜在的不具可比性的严重问题是病者的体质及基因背景等个体化因素不同被忽视了。

为此，我们的课题组基于系统生物学和中医学辨证论治理论，首次提出了建立基于中医循证医学特点的个体化随机对照临床试验新模式，即药物临床试验要基于病者的个体基因组和药物基因组等特征的"个性群体"进行试验分组，评价药效。对于同一种疾病，针对不同个体、不同群体去个性化用药，这才是精彩，这种精彩跟辨证论治原则类似，只是中医药的说法不同、诊断方法和手段不同而已。

实验案例

澳门科技大学中药质量研究国家重点实验室，是迄今我国中医药领域仅有的国家重点实验室。多学科的高新技术在这个国家重点实验室也得到了快速发展。例如：

● 中药基因条码技术。现在中药最大的问题是不知道是真的还是假的，更不知道是好的还是坏的，即所谓真假、优劣。我们实验室开发的中药基因条码技术是以生物活性为导向的中药基因条码技术，重点研究贵重中药材的分子鉴定，注重以该药材的药效和生物活性为导向，使基因条码技术不仅能鉴定药材的真伪，同样能验证其优劣。

这是一个很重要的方向，一旦推广应用，对中药材的品质保障会起到非常重要的作用。将开启中药材科学鉴定的新时代，而且又省时、方便、快捷、准确，这不仅能鉴定药材的真伪，还能鉴定其优劣。

先前的中药条码技术未能与药材的生物活性（即药效）相关联，故基于生物活性基因条码的技术难度大，意义也更大。

中医药研究有很多领域需要去想，需要敢去做，我们曾经把人参种子通过"神舟十号"送上太空。我们现在正在研究人参的基因测序，一旦发现人参的优势基因，就可以开发人参基因育种技术。只要去努力尝试，中医药很多新技术就会有了。

● 中药活性成分快速分离与鉴定技术。例如LC－MS－SPE－

177

NMR联用仪，灵敏度极高，是迄今国际上最高效率的化合物分离和结构鉴定联用技术设备。这个机器分离起来效率很高，我们现在有一系列新的化合物的发现，也是利用这个高新技术的平台。

液相色谱—质谱—核磁共振谱联用仪的高科技价值有很多，比如：它可以对中药活性成分，特别是含量极低活性成分，进行高效率分离和结构鉴定，分析药物作用的靶分子，特别是脂类成分，需样本量极少，速度快，效率高，也可用于临床病人样本及动物和细胞样本分析，包括单细胞内生物活性物质测定。

最近，我们课题组首次发现了调节T细胞活化及炎症免疫的关键性蛋白酶IKK-beta药物结合新靶位Cys-46，已获澳大利亚创新专利授权。这一发现将为研发炎症性疾病和癌症个体化治疗的新靶标药物提供技术平台。

此外，课题组也采用高效色谱—质谱分析技术，建立了附子类药材毒性生物碱快速测定方法和限量标准。可见仪器设备有多重要，没有高端的仪器设备，就得不出科学数据。

● 电子计算机分子嵌合模拟药物设计技术。这项技术能够提供中药小分子化合物与生物大分子药物靶标（如功能性蛋白、酶、生物标志物等）相互作用信息，为采用生物有机化学技术进行药物筛选提供依据，能将生物活性和计算化学技术相对接，用于创新药物研究。当然，还有许多其他的现代高新技术需要对接。

高新技术在中医药科学研究里的应用，不是一个理论和概念上的问题，而要实实在在可以用得着，可以拿到数据、成果的，它是解决中医药重大科学问题的保障。

●单细胞分选和纯化技术。BD FACSAria III流失细胞分选仪，是迄今分离速度最快、可富集单一细胞的细胞分选设备，能够为研究药物作用于特定的细胞群及其分子靶标提供高效手段，为中药分子药理及分子靶向创新中药研究提供强大工具。它一秒钟可以分离7万个单细胞，非常有效。

●活细胞及分子显微成像可视化技术。DetaIVision多功能活细胞显微成像系统，能以实时影像方式观察正常或病变细胞或蛋白质的生理变化，如观察细胞迁移路径，监察细胞分裂与病变过程，也可在线记录药物效应细胞在药物作用下，亚细胞及蛋白分子等移位变化。大家知道人参是补气的，我们采用该技术，发现了中药人参皂苷对心肌细胞线粒体具有激活与能量增强作用，可用分子显微成像记录下来，表明人参具有"补气"作用。 这个技术是不是现在最好的可规划技术？不一定。但是这个机器现在比较实用。一旦把这样的生物物理学技术再应用到医学特别是中医学领域，其效能是非常好的。

●蛋白质组学技术。蛋白质组学技术是创新药物研究的强大工具之一，采用最具优越性能的LC-Q/TOF MS和Autoflex Speed MALDI-TOF/TOF MS，及二维电泳系统，能高精确度地快速分析新的蛋白生物标志物及筛选新靶标药物。

蛋白质组学技术非常适合用来研究中医，可以把中医药的网络作用特征表达出来。应该说，蛋白质组学技术是系统生物技术近

179

二十年最大的进展。

我相信，未来很多医学教科书里面的东西都会改写，因为以前强调器官、组织、细胞或分子单一的功能和特征，实际上它们存在着交互相关和交互对话，它跟中医学宏观的脏腑相关理论不谋而合。

●糖/肽组学技术。我们身体里有三大类物质，一是蛋白质，这个研究得比较多；二是糖，研究得比较少；三是脂，这个研究得也不多。实际上这三类物质缺一不可。利用这个技术平台，有可能发现与疾病病理密切相关的新生物标志物，从而建立疾病诊断的新标准和新方法，这些方法用到中医药又能够最好地表达网络病理特点。

●脂组学技术。脂类是机体三大生物活性成分（蛋白质、脂、糖）之一，故是研究疾病生物标志物、新靶标和新机制药物的重要领域。采用高效液相色谱晶片电喷雾离子源高分辨四极杆飞行时间质谱仪等最先进的质谱分析方法，能够高效率地分析脂类物质的代谢特征以及提供与疾病诊断和治疗药物作用相关性信息，从而研发脂分子靶向药物。

●中药纳米制剂技术。可以建立适合中药成分构成和用药特点的新型纳米载药系统(新剂型)，即利用纳米技术提高中药黄酮类等活性化学成分的生物利用度、增强疗效及降低不良反应。探索建立中药活性成分"智能型"给药制剂新技术。

高新技术在中药质量研究国家重点实验室的应用

1. 应用高新技术研究抗关节炎创新药物

类风湿关节炎，在全世界大约有3000万病人，中国大约有450万病人，这个发病率并不高，但是这一类疾病难以治愈，需要长期治疗，使家庭和社会负担沉重，并且致残率达到20%，所以社会的需求量是非常大的。

类风湿关节炎属于中医"痹症"范畴，在《黄帝内经》就有记载。在欧洲，有一张油画很漂亮，把画里面的女主人的手指放大，这就是典型的类风湿关节炎，这是欧洲17世纪的一张油画。当然这不是最早的，欧洲在14世纪左右有记载类风湿关节炎的发生，据说主要是从南美传过去的，文献记载不一定百分之百准确，而是作为一种信息参考。

在我当学生的时候，老师教我们类风湿关节炎的治疗，是"上台阶模式"，也就是"金字塔"模式，诊断出来了，一种药不行，就加多一种药，再不行就再多两种药，再不行就去试一下中药。我非常不愿意见到，人们总是在西医没有效果的情况下尝试中药。

现在西医改变了，认为类风湿关节炎一旦诊断清楚以后，要多种药物早期联合用药，控制病情。病情慢慢缓解之后就减量，减到最后由一个药去维持，因为它是慢性病，在这种情况下中药当然要早期介入。这种模式的转变，使风湿关节炎的关节致残率至少减少了10%。

181

在这种模式之下，在早期使用中医药治疗，因为中药是多成分的复合治疗，对这种复杂性、系统性疾病的效果会更好。

如果是讲到细胞，它由多种免疫细胞、效应细胞群所产生的多种炎症病理，所以药物干预应该是多靶点的、网络的。

我在先前的工作中研究了二十多年的青藤碱，并与湖南正清制药集团合作，研发了正清风痛宁系列产品。现在在湖南正清制药集团所生产的正清风痛宁有片剂、注射剂、缓释剂，全国多个省市都有销售。

正清风痛宁口服治疗类风湿关节炎的临床疗效跟西药最经典的药物—甲氨蝶呤相比，疗效是相当的，但是副作用明显较少。甲氨蝶呤的副作用主要是引起胃肠道的副作用，正清风痛宁的副作用主要是组织胺释放掉副作用。

目前，我们还有好几个课题在研究青藤碱，研究它在什么人的身上才会发生过敏反应。因为组织胺释放产生皮肤瘙痒，发生率大概是15%。为什么多数人不发生，少数人发生？这里面一定有道理，这就是药物的基因组群、个体差异所致。一旦研究出来，找到发生过敏反应的群体，今后在用这种药之前就搞一个药盒，进行"预警性检测"，预防副作用发生。

先前的RCT临床试验并不符合标准的个体化治疗，未来的医学可能是在用药之前就知道每个人自己的体质背景，也知道用这个药我的体质背景会产生什么作用和伤害。到那个时候，我们的医学不是比现在的群体治疗更精彩吗？

2. 一个药物结合的新靶——IKK-beta

发现IKK-beta蛋白激酶的药物结合新靶位，它在CYS-46位点上。我希望这个靶今后可以成为新靶标药物研发技术平台。不仅为中药研究，也为西药研究提供了一个新的平台。

IKK-beta是在NF-κB这个信号传导通路里面一个非常关键的激酶，这个激酶一旦被激活，将激活整个IKBKB的信号传导通路，引起一系列的免疫炎症反应，所以寻找IKK-beta抑制剂是世界上最关键的一个前沿领域。

我的研究生在开始做实验时用了中药二轻杨梅素（DNY），她发现DMY具有明显的抗炎作用，用药之后使关节炎明显下降，在体外发现它能显著抑制IKK-beta的活性。这一发现使我们更加有兴趣了，这个药物是怎么有作用的呢，怎么能结合上IKK-beta分子的呢？

学生一定想要知道，教授更想知道。我说是不是结合在现有的已知位置上呢，又怎么证明现有的位置及怎么结合？必须有质粒，我们自己的实验室没有质粒，后来我们在文献上发现美国一个教授的实验室有这个质粒，我写信给他，他就送了四种质粒给我们。

这个研究生非常小心，做出来的结果是这4个质粒全部处理了之后，DMY照样还是有效的，也就是说照样可以抑制蛋白酶的活性。

后来研究生很小心地问我："怎么搞的呢，我这个实验做出来还是有效的，我把四种质粒都做完了"，我后来问她："你觉得这个实验做得很准确吗？"她说很准确，做得很仔细，我说："你能够拍胸膛吗？"她说，她能够拍胸膛。我说如果你一定能够拍胸膛的话，那就恭喜你了。

后来我跟其他的老师商量怎么把这个东西做出来，怎么接在第五个新靶上。我们合成一个生物素探针，然后就结合在小分子DNY的分子上，大家知道从小分子上接一个探针的技术非常难，我的同事成功合上了这个探针。我们利用这个探针去找它的新靶位，找到是46位。我们把它一段一段克隆出来，最后在这个位置上探针发生了变化。我们非常高兴，觉得这是一个真正的新发现。

我们最近已经成功拿这个药物在46位点变异的新的动物模型上做实验，发现这个药物的作用明显地减弱。它的结论就是说这个药物真正结合上去了，结合上去了有什么意义？原来已知四个位点，现在是第五个，肯定有人在想这个问题。因为是个体化医学，同样的一群人，比如我们在座的几百个人，我们在某一些分子上有很多变异的位置是不同的，所以这些有效的抗炎药物对某些人有同一个靶位结合是有效的，对另外一些人有另外一个靶位是有效的，可能还剩下一群人这些靶位都不行，这就需要一个新的位置，这叫作个体化药物治疗。

未来的药物都是按照不同的个体、不同的基因靶位、不同的基因变异，然后研发出适合某一些病人的群体，而不是所有的群体的药物，到了那一天，药物就更加有效了，医学也就更精彩了。

以上的例子都表明，我们在研究中医药的过程中所取得的成果，不仅推动了中医药的发展，而且对于整个医学也有着巨大的贡献。

应用高新技术研究有毒的药材的安全用药

有毒的中药材，比如说附子，我们首先鉴定了在附子药材有三种有毒乌头碱，即乌头碱、新乌头碱、次乌头碱，以及它三种乌头碱的水解产物。前面的三种乌头碱是有毒的，而后面三种水解的乌头碱是具有抗炎镇痛作用的，所以我们建立了6种乌头碱同步检测的新方法。

我们同时采用这个新方法检测了在附子里面各种乌头碱的不同含量。现在有很多含有乌头类药材的药品的中成药，如果三种有毒的乌头碱的含量不稳定，就会产生中毒的风险，所以必须采用现代的方法很好地控制。

基于这个原因，我们就提出了应该将三种乌头碱和生物碱的总量进行含量测定，同时我们提出应将三种乌头碱类生物碱的总量进行限量规定，三种加起来应该低于0.02%。原先《中国药典》仅仅规定乌头碱的含量必须低于0.02%，我们提出，三种乌头碱的总量必须低于0.02%。对附子中6种乌头碱类生物碱的研究报告发表五年后，《中国药典》2010年版对附子的品质要求进行了提高。

举这个例子，我想说明什么呢，第一，如果没有现代的高新技术和方法去进行检测的话，我们就没办法将6种乌头碱类生物碱进行同步检测；第二，同步检测之后做出来的数据，如果能够纳入到国家的标准和药典，就真正服务到了行业、病人、医院，这正是作为一个科学工作者非常期望的。

记得2013年年初，我在人民大会堂接受国家领导人颁授国家科学技术奖，有记者采访我，问我是不是特别高兴，我说当然很高兴，但是我最高兴的不是拿了这个奖，而是我们建立的新方法和新技术能够得到政府的重视，我们研究出来的成果能够为社会服务，特别是作为一名医生，能够有产品直接帮助到病人，这才是最高兴的。

高端质谱化学分析技术和系统生物学组学技术对研究中医药的复杂科学体系尤为适应，应当积极推广应用。中医学理论和诊疗方法与西医学有着很大的不同，其防病治病的原理仍有许多未知，但正是这种"不同"和"未知"，才是中医药研究的科学意义之所在，也是科学创新之源泉。我们从事中医药研究带来了IKK-beta激酶药物结合靶位Cys-46的新发现，便是很好的例证。中西医学应相互尊重，互补短长。基于中医药理论和传统经验研制创新药物的潜力巨大，也是我国创制新药的优势，应予高度重视，加大投入。

转化医学的
现状与发展

杨胜利

中国工程院院士。

在医药研究所工作期间先后从事制霉菌素、放线菌酮中试工艺与应用、制霉菌素生物合成、抗生素耐药性、抗病毒抗生素、青霉素酰化酶基因工程、苏氨酸代谢工程、微生物血红蛋白基因工程和分子药理学等研究。其中，青霉素酰化酶基因工程获中国科学院科技进步一等奖和中国科学院第二届亿利达科技奖。

现任中国科学院上海生命科学研究院研究员、中国工程院医药卫生学部主任、中国工程院主席团成员、中国工程院医学会商学会主任。

转化医学最大的贡献不是增加了多少产品，而是在疾病的预防、防控，降低发病率等方面，它能促进人们的身体健康。

近几年，大家越来越多地听到"转化医学"这个词。转化医学出自两方面的战略需求，即医学模式转换需求和医药改革需求。

世界卫生组织提出：21世纪的医学不应该继续以疾病为主要研究领域，应当以人类的健康为主要研究方向。要做到这一点，就要把现代科学技术的成就凝聚到医学里面，即预测医学、预防医学、个性化医学、参与医学。这四种医学里面，预测医学是基础，有了预测医学才能做预防、个性化和参与，只有整合四种医学才能使医学发展到"智慧医学"的阶段——从小孩出生开始，根据他（她）的基因情况和整体身体状态，能够做好健康管理，使他（她）健康成长，少生病。

传统医学与智慧医学的理念是十分接近的，因为中医强调，"天人合一"，实际上就是人和环境的相互作用；"上工治未病"就是预防医学的理念；"辨证施治"就体现了智慧化的医学。所以中医的宝库是转化医学的一个很重要的部分。

要做好转化医学有三条主线：

一是从实验室到临床。

二是从经验性到循证性。

三是从实验室到市场。

转化医学科学技术的主线就是由基因组到智慧医学。所以如果我们要了解转化医学，就要从基因组开始。

当人类基因组草图发布时，专家就提出要进行大量研究，探索我们怎么做出有意识的行为，如何根据外界环境改变自己的物理特征，等等。

这个测试完成以后，我们将面临更大的挑战。这个测试给生命科学和生命技术带来了革命性的变革。

过去的生命科学（包括医学）都是在做减法，从整个形态学到解剖、组织、器官、细胞、分子都是如此。而基因组测试计划回过头来让我们从整体上了解生命的密码。基因组计划启动以后，把系统科学提到了生命科学的领域，也就启动了系统生物学的发展。

系统生物学就是我们要全面了解生物系统，从分子到整个生态系统。20世纪90年代，我们在DNA下启动分子系统，基因组带动了一系列的组学的研究，包括代谢组学、蛋白组学、转换组学。我们慢慢地了解生物元件之间的相互作用，最终将使我们对整个生态系统有个全面的了解。这当然不可能在十几年之内就完成，可能下一个世纪我们还在不断地研究系统生物学。

DNA元件百科全书计划于2003年启动，其出发点是：因为人类整个基因组里编码蛋白比较的区别只占整个基因组的1%，所以国际组的计划就是从1%开始了解基因编码蛋白的功能，再延伸到这个蛋白功能的表达——怎样从DNA到RNA，然后到蛋白，蛋白怎么相互作用，以此来启动整个生命活动。

现在发布的百科全书是从人类140多个细胞组开始，做了1640个全基因组的研究。这就说明从人类基因组草图公布以来，国际上除了大规模的联合国工作外，各个实验室也在基因组里就某个序列、某个小的单元在进行深入的研究，这两部分工作整合起来就是我们做基因转化医学的起点。

要从基因组发展到智慧医学，必须靠基因组医学、数字医学这两个翅膀。

191

第一个翅膀——基因组医学

百科全书在细胞上做了系统的工作，给我们提供了很多信息，但是这远远不够。我们还要在动物模型里做，再要到临床做，这样才能给我们提供一个医学的基础。这是系统生物医学的研究，经过生物学和临床病理学的验证再做转化，大概就是这么一个框架。

我们要关注基因组，这是转化的起点。其次是表型组和环境因素对表型组的影响。环境、基因相互作用出来一个综合的表型。

这样我们就可以监控从健康状态到亚健康状态，再到疾病发生，然后到治疗，用生物标网络来监控健康状况，以及疾病、疾病治疗的过程，看这个网络的变化。

有了这些基础以后，我们就算完成了一次验证工作。但是这个转化不都是单向一次性成功的，转化过程中还要不断地回过来，多次地循环，才能完成转化的过程。

验证生物标志物以后，它可以作为药物的靶点，也可以作为预防生物标志物，也可以作为诊断和愈后判断。临床上如果已经有比较成熟的治疗方案，也可以通过生物标志物进行治疗优化。

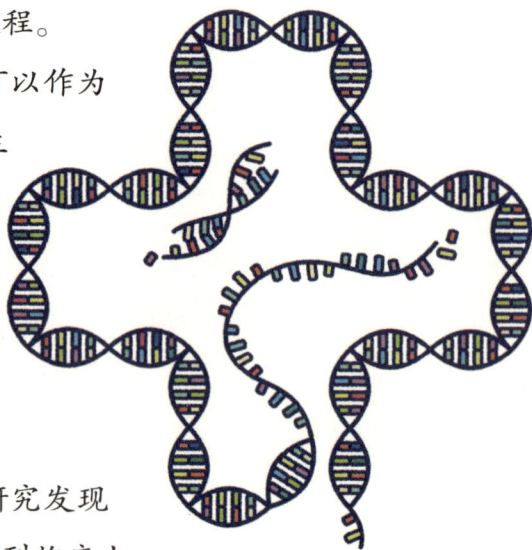

整个转化过程就是从基础研究发现转化，生物标志物用到临床上，到临床上发现问题再到基础研究，经过多次的循环，实现能用于临床的药物和治疗方案。现在完成这样一次转化的平均周期是17年，耗资都在5亿到10亿美元之间，所以要做好转化医学的工作确实很辛苦。

第二个翅膀——数字医学

数字医学有三个要素，即实验室信息系统、医院信息系统、无线通信技术。

数字医学里现在比较成熟的技术是His和Lis，还有传感器，在此基础上通过无线传输技术，形成开放的、公共运输的信息系统。这个系统最终能够统一标志，形成全国的信息系统，但是这个工作量很大。现在面临的工作是信息的标准化，不管是His还是Lis。数字医学对我们今后的转化医学会起越来越大的作用，这是改进医药和保健水平的一个重要的新战略。

在His和Lis以及无线通信技术的基础上，我们要构建一个开放的、移动的信息网络，用于疾病的预防和健康管理。现在我们还有很长的路要走，可能医院里面各个科室的信息都没有整合。现在要整合出一个大的平台——一个援助型、开放型的医疗信息网络，这个瓶颈就是标准信息化。除此之外，信息隐私权的保护，包括技术、政策的瓶颈现在都需要努力突破，以形成一个大的援助型的平台。有了这个平台以后，我们就可以建起一个新的医疗卫生信息网络，把三甲医院、社区信息中心、家庭联合起来。

193

有了这样的网络，以后我们就可以做远程诊疗和远程教育。这是我们国家数字医学网络特别需要的。据联合国和世界卫生组织统计，我国医疗资源和我国的人口比例很不足，我国的医疗资源普及率和均等性在国际上都是比较落后的，所以数字医学的网络是从根本上解决这些问题的一个基础的技术平台。

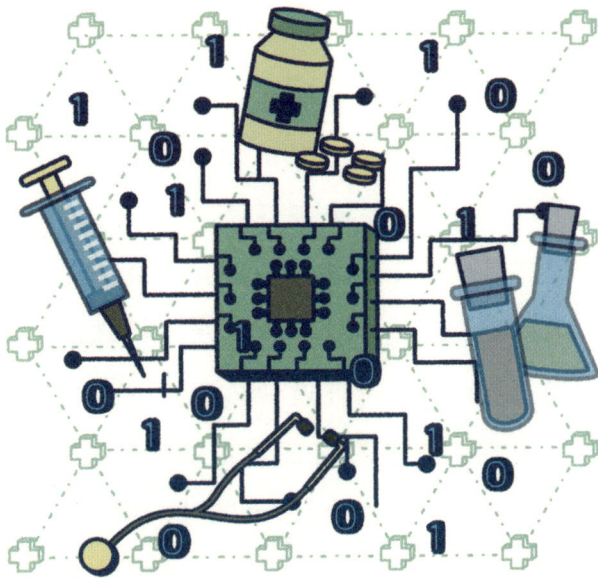

转化医学的发展

从基因组开始做转化医学的研究进展，目前在世界上到底怎么样呢？美国媒体采访了两个人类基因组研究的领军人物——Francis Collins和 Craig Venter，媒体问这两位大师转化医学做得怎么样，他们的回答很干脆——"Not much"（还远远不够）。

转化医学面临着这么大的挑战，我们要有决心、有毅力去跨过这个阻碍，这样才能有所发现，并运用到临床上。转化医学平均的转化周期是17年。《时代周刊》每年要评估50项重大科技的突破，在2008年评估的50项结果里，基因芯片排在第一位，这个芯片能够检测出这个基因组里有哪些疾病的易感基因。但其实人类健康、疾病跟所处的环境密切相关，基因芯片给我们提供了预测，让我们做好个性化、针对化的健康管理，以此预防各类疾病的发生。

Roche是最大的基因诊断公司，Roche和Affymetrix合作研发了一个基因芯片，它可以预测每个人对酶药物的代谢速度，彻底改变了过去临床上的一般药物对成人每天吃多少量、小孩吃多少量的规定。美国有个叫马可的小孩，他每天用药，可最后死了。后来通过基因检测，发现这个小孩对药的代谢速度比一般人都要慢几十倍，用了药以后没有及时地代谢，最后中毒死亡。

我们国家在这方面进展也不错，北京生物芯片中心做了两项工作：一个是基因显示芯片，储存国际上已经发布的疾病易感基因，另外推广了耳聋芯片，系统做了引起耳聋的各种各样基因多态

194

性。最近在北京、成都，政府出资做了全民测试，如果小孩对抗生素敏感，就给他一个证，每次上医院就把这个证给医生看，这样就能避免大量因为用药而引起的耳鸣。不光是小孩，大人也可以通过这种方式知道自己是否适用某种药物。

数字医学需要大量的传感器来得到信息，并及时通过网络将信息传输到医院里。现在已经有了小的芯片测试仪，大概和手机一样大，病人只要按住，信息就能储存到芯片上，再通过手机传输到医院。

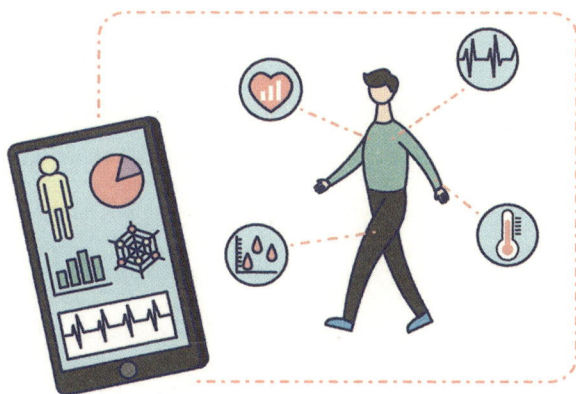

之前有一个关于电子皮肤的报道，据说可以把电子皮肤贴在胸口，就可以把心跳、心电图都收集起来，然后传输到手机上。还可以贴到不同的部位，例如贴到腿上，就可以采集爬山、爬楼梯时的信息。

通过手机测血压、心跳、体温等数据，并传输到医院，医生通过这个情况就可以给病人诊断，只要病人能够及时送到，马上就能进行抢救。

合成生物学，是在将来会对整个生物医学产业起推动作用和带来便利的平台。它不光会对预防医学、个性化医学产生很大的推动作用，还能促进我们国家的水资源、能源和社会的可持续发展。

195

这是生命科学里继系统生物学之后最大的一个发展。

合成生物学是在系统生物学平台上进一步发展的平台技术和转化技术，它综合了生物学、工程科学和计算机科学，使生命科学和生物技术进入工程化的时代。

生命科学基本上是经验性的科学，靠做实验来得出结论。后来，合成生物学把工程、设计的理念带到生命科学当中。

现在国际上特别重视合成生物学在化工品和燃料方面的应用，通过合成生物学可以改进微生物学，改进化工品和燃料方面的生产。在农产品方面，利用合成生物学可以提高粮食的产量。预测到2030年，全球对粮食的需求将增加30%，所以现在世界各国也在用合成生物学的方法提高光合作用的效率，促进粮食增产。

举个例子，用人工的叶子来做光合作用，通过太阳能把二氧化碳转化成为生物燃料。通过合成生物学要把这一类结构进行优化，提高它的产量。而且现在发现这类结构将来可以慢慢成为可再生生物燃料的元素。

比如青蒿素，美国科学家首先实现了在项目上做出青蒿素，然后再加三四步化学反应，得到能大量生产的青蒿素。将来很多中药可以通过此步骤来实现增产。

合成生物学怎么用于常见的疾病？

这个在动物模型里已经初步试验成功，理论上将来也可以在人体上完成。现在的问题是它没有很好的生物传感器来监控血糖水平，它是通过蓝色激光来控制基因器械。理想的是这个细胞的表面有糖的传感器，感受到血糖高了，才能进行基因工作，维持血糖的稳定。

这个概念是可行的，但是到临床还是有很大的距离。这个给我们带来一个很大的希望，即我们可以对很多慢性疾病进行早期干预，使病人恢复到健康状态。

通过各种各样的免疫学研究，我们可以通过生物科学技术构建生物细胞，作为免疫调节器；可以构建合成生物的各种器械；也可以开发新的疫苗和抗体。

比如抗生素的耐药性是临床上比较令人头疼的事情，假如用合成生物学来提高杀死细菌的作用，就可以控制某些耐药菌的作用。还有肠道感染，我们可以通过合成生物学来构建适药病菌，这也是以后预防肠道细菌感染的重要途径。

各种干细胞用于再生医学的细胞，这也会带来新的平台技术，这样我们也可以在此基础上发展再生医学。近年来，日本医学家在干细胞的研究上取得了比较多的进展，基本上能够做成从干细胞到眼球再到视网膜那一部分的人工的组织。将来可以逐步做成人工的心脏，因为这些器官又有神经又有血管，所以难度比较高。

转化医学的周期是17年，希望通过我们的努力，能够把这个转化周期缩短到12年。

转化医学面临的瓶颈

转化医学面临的瓶颈，是没有很好地做生物标志验证的工作。

有很多文章都声称发现了相关的标志物，但是发现能转化的很少。今后我们要进一步加强生物学的验证、临床病理学的验证。

第一步，要做生物学的验证。首先要发现这个基因，然后要把这个基因放到模式生物里检测，上调下调这个基因的表达，最后来测定这个生物的酶或者表型的变化，这是生物学的验证。

第二步，要做临床病理学的验证。这部分现在做得更少，要做变化的表型，最后它的变化的表型要和临床相证明。

国外现在已经建立了很好的第三方验证中心，比如实验室里有发现，他可以委托第三方验证中心，比如冠心病的哪一个生物标志物作用到哪个网络，中心会找有关的国际上最好的实验室来验证。在知识产权方面，它都有很严密的规则，使上游的实验室能够放心地把这个基因交给它。

这里不光存在效率问题，还有一个理念的问题：比如说，我发现了什么标志物，总是希望它能成功，能走到底，即使出现很不利的数据，也不愿意丢掉，因为可能5年、10年我就找到了，要自己来否定是特别难的。现在整个转化效率要提高，特别是药物，最关键是早期否定，没希望的还要硬往下走就会造成大量人力物力的浪费，所以必须以工业化、系统化的理念来做验证。假如国家这一步跟不上的话，我们的转化医学与国际比较，差距将越来越大。

转化医学的战略

转化医学的战略就是将生命科学和生物技术及相关的现代科学技术整合、凝聚到智慧医学，推动医疗改革，提高人民的健康水平和生活质量。

我国转化医学近期的研究重点在慢性疾病的防控，应该更加重视中医、中药的现代化和国际化。

慢性疾病已经是全球死亡率病因的60%，在中等收入国家，这些疾病的死亡率是80%，而且它和一般感染性的死亡不一样，医疗的负担相差很大，一些慢性病会持续5到10年，例如我国糖尿病有1700万人，8年以后相当比例的病人会有并发症出来。

从1973年到2005年，就疾病死亡的原因而言，心血管疾病1973年大概是不到20%，现在上升到接近40%，还有一个上升得很快的病是肿瘤。

我们面临的严峻形势不光是死亡率，而是发病率快速地提升。经济发展以后，生活方式的转变使一些慢性病特别是糖尿病、冠心病的发病率快速上升，还呈现出发病年龄低龄化的趋势，这两个趋势对我们以后的压力是巨大的。

转化医学最大的贡献不是增加了多少产品，而是在疾病的预防、防控以及降低发病率方面。

传统医学与智慧医学

传统医学的理念与智慧医学的理念是基本吻合的，现在要做的是中医中药的传统如何走向现代的循证医学。

系统生物学实际上为中医中药提供了一个走向国际的桥梁。

因为中医特别强调整体的辨证，只有智慧医学才能给中医提供理论基础和循证医学。现在还在发展网络药理学，这就是中医中药循证医学的一个很好的方面。

中医中药是可以走向世界的，几千年临床的积累很重要，但是我们要做另外一个转化，就是翻译的转化——让外国人能看懂中医中药的理论。

转化医学未来的发展

今后转化医学要做好还得从几方面着手，一是临床需求导向的靶向性的转化研究，二是开放式网络结构的联合体，三是联合体里面要有医产学研资结合的团队，最后是DNA双螺旋模型。

我们正在探索转化医学怎么运行，DNA双螺旋模型应该是一个最好的方法，当然这里需要政府的支持、资金的投入、人力的问题。

现在大家也特别强调转化医学可能是生物医药产业的一个希望，因为转化医学不仅成为医疗改革的核心关键，而且也是重构整个生物医药产业的关键。

将来，转化医学会带来生物医药产业一些传统的、核心的生长点：

一是预测、诊断、分型、预后判断试剂。

二是普适性疫苗与多功能抗体。过去预测下一年哪种病会流行，大部分是预测出来了，但是也有的是预测错了。

三是抗耐药菌的抗生素。

四是个性化药物。实际上有些药物从报批开始，就在用个性化药物的方式制做。个性化药物不光是用药，而且在药物研发过程就要把个性化药物方案整合进去。

五是生物传感器与基因器件。生物传感器包括两方面，其一是尽量多的生物传感器能够采集到生理、病理的信息，和无线通信数字医学网络联合起来，把每个人的信息及时地送到医院；其二是和基因器械联合起来，能够维持血糖、尿酸、血脂各种各样指标的稳态，这样才能达到慢性疾病早期的防控。

六是再生医学。再生医学可能将来会研究心脏、肝脏、肾、皮肤等的再生，但是很大程度上将来会被细胞治疗取代，像冠心病，在心脏不需要整个替换的情况下，可以用细胞治疗逐步修复，通过健康的细胞把它修复过来。

七是数字医学。数字医学不单是一个网络，它还将带来一个很大的产业，搞信息的公司对我国的数字医学网络都非常关注，数字医学网络将是健康管理和健康老龄化产业的重要支撑。

八是健康管理与健康老龄化。健康管理应该从小孩出生前就开始，现在取消了婚前强制性的婚检，慢性病比较难统计，但是像遗传性疾病在广西发病率明显上升了，所以小孩没有出生就要做好一些预测，出生以后全程地跟踪，直到这个人死亡的临终关怀，都要做到健康管理。

健康管理应该从小孩和老人这两头做起。老龄化这个问题我

201

们和北欧的瑞典、芬兰讨论得比较多，他们在这方面做得比较好，但是我们不能单纯地把芬兰、瑞典的经验拿过来，因为他们的人均投入比我们大得多，芬兰只有500万人口，国民经济的情况很好，所以人均的投入特别大。我们怎么做好？应该与中国国情的健康老龄化结合起来，中医中药在健康老龄化方面应该起更大的作用。实际上可能有很多其他产业的增长点。

现在综合医学与各级领导特别关注的智慧城市息息相关。一个智慧城市，健康是关键。假如人不健康，信息化再怎么做得好，也跟不上。

智慧城市不光是科学的发展，地区的医学参与和做好自我健康管理是很重要的，所以希望今后在推动智慧城市发展的时候，把智慧医学和健康放在一个重要的地位。智慧城市最大的民生工程是健康工程！